D1082113

L'Inspecteur Specteur et le curé Ré

GHISLAIN **TASCHEREAU**

L'Inspecteur
Specteur
et le curé Ré

LES **I**NTOUCHABLES

Les Éditions des Intouchables bénéficient du soutien financier de la SODEC, du Programme de crédits d'impôt du Gouvernement du Québec, du PADIÉ et sont inscrites au Programme de subvention globale du Conseil des Arts du Canada.

LES ÉDITIONS DES INTOUCHABLES
4674, rue de Bordeaux
Montréal, Québec
H2H 2A1
Téléphone : (514) 529-8708
Télécopieur : (514) 529-7780
intouchables@yahoo.com
www.lesintouchables.com

DISTRIBUTION : PROLOGUE
1650, boulevard Lionel-Bertrand
Boisbriand, Québec
J7H 1N7
Téléphone : (450) 434-0306
Télécopieur : (450) 434-2627

Impression : AGMV-Marquis
Infographie : Édiscript enr.
Maquette de la couverture : François Vaillancourt et Marie-Lyne Dionne
Photographie de la couverture : Jean-François Prieur
Photographie de la quatrième de couverture : Mélanie Lessard

Dépôt légal : 2001
Bibliothèque nationale du Québec
Bibliothèque nationale du Canada

ISBN 2-89549-050-3

À ma nièce, Naggy,
qui fut frappée d'une trentième année
le jour même du lancement de ce livre...
Ça lui apprendra à vivre !

Merci à Martin Robert, M.D.

Merci au couple Pérusse-Abran, C.D.P.T.

« *Hunc librum duabus horis legi.*
Disco legendo. »
ALIQUIS

« La première fois
qu'Ève a vu un homme,
il était en costume d'Adam. »
LUDGER

PROLOGUE

L'inspecteur Specteur est le meilleur inspecteur de police du monde. Et ce, grâce à Satan, dont il est le disciple. Il travaille à Capit, la capitale de la Friande. Un des plus beaux pays de la planète Nète. Il possède une arme à feu de calibre .666 qui ne se décharge jamais. Il porte une bague qu'il peut retracer n'importe où. Il lui suffit d'y penser. Son animal domestique est un perroquet (un *Psittacus erithacus erithacus*) qui répond au nom de Fido. Quand il a soif — et il a souvent soif —, l'inspecteur Specteur se désaltère à la Taverne Occulte, où seuls les suppôts du Diable sont admis.

Son pire ennemi est Dilleux Lepaire et c'est un véritable salaud.

UN

— Par voie naturelle, l'homme doit absolument passer par l'orgasme pour se reproduire. La femme, pas du tout.

— Alors? demanda Decin, le médecin légiste.

— Alors?!!! fulmina l'inspecteur Specteur. Tu parles d'un créateur!!! Il a créé l'homme à son image: égoïste! Les disciples de Satan, eux, au moins, partagent tous les mêmes plaisirs et les mêmes déplaisirs. En se joignant à LUI, l'humain est en quelque sorte « réparé ».

— Putain... t'as raison.

— Bien sûr que j'ai raison. Et c'est justement cette grande différence qui fait de Satan, notre maître, l'« Être Suprême ». Fin de la discussion !

Specteur s'épongea le front.

— De toute façon, ajouta-t-il, j'ai plus envie de parler... Je suis en train de fondre...

La Peugeot de Decin s'immobilisa à un feu rouge. Rouge comme le feu du jour. Une goutte de sueur glissa sur la tempe droite de Specteur et s'étira jusqu'à sa joue creuse. La chaleur cuisait la ville. Elle valsait, en ondes translucides, à la surface du bitume. Comme si le Diable avait ouvert une brèche dans la terre.

L'auto était une véritable serre. Specteur passa un bras à l'extérieur. Il ne sentit aucune différence de température. Pas la moindre brise. Il jeta un coup d'œil autour de lui. Les trottoirs étaient bondés d'absents. Tous et chacun préférant rester cachés à l'ombre et bouger le moins possible. Fournaise… Même le temps se serait passé de cette journée.

Le feu était vert maintenant, mais la Peugeot refusa d'avancer. Elle cracha un épais nuage blanchâtre et se tut.

— Merdissime merde! hurla Specteur. Je le savais! On aurait dû prendre ma bagnole!

— Te mets pas dans cet état! répliqua Decin. On va marcher, c'est tout. On y est presque!

— *Suus cuique mos.*

Les deux hommes abandonnèrent la Peugeot et marchèrent en silence, progressant péniblement à travers cette masse d'air brûlant qui leur salait le front, les yeux, les joues, la bouche… qui leur grillait les pieds. Chaque pas était un calvaire, un chemin de croix.

En réalité, c'était une marche vers la mort. Concrète celle-là, puisque le commandant Mandant leur avait demandé de venir de toute urgence: un homme avait été retrouvé sans vie dans un endroit public.

— Quel con!… murmura Specteur. Il aurait pas pu mourir un autre jour, non?

— Je ne crois pas qu'il l'ait fait exprès…

— Il a besoin d'avoir une bonne raison.

Les lèvres de Decin se courbèrent.

— Patience, lança-t-il en rigolant. Tiens, regarde! C'est juste un peu à l'ouest du prochain coin de rue.

L'inspecteur Specteur pressa le pas. Il voulait que cette journée se termine le plus rapidement possible afin qu'il puisse aller se désaltérer en paix.

À l'intersection, il bifurqua vers la droite et aperçut l'endroit devant lequel les policiers avaient posé le cordon de sécurité. Son cœur faillit se sauver en courant. L'inspecteur se planqua vite derrière une bagnole et força son collègue à en faire autant. De leur cachette, Spec et Decin voyaient Mandant qui gigotait comme une truie sur une plaque chauffante.

— On ne peut pas aller là ! fit Decin.

— Oh que non ! approuva Specteur. Aussi bien mettre tout de suite le feu à nos fringues !

Il sortit son portable.

— Commandant Mandant ? Oui. Bon. Oui, ça s'entend… Mon téléphone était éteint… Oui, j'ai dû l'éteindre par mégarde… Oui, oui, je n'suis pas sourd ! Mais on m'a dit que c'était dans une église, non ? Hum… Dans une église, on peut pas y aller… Non, non ! Je veux dire : aujourd'hui seulement, Decin et moi, on pourra pas s'y rendre…

Spec éloigna le téléphone de son oreille comme s'il craignait d'en voir jaillir la langue de Mandant.

— Désolé…, reprit-il. Mais je vous perds, commandant… La liaison ne se fait plus. Alors, au cas où vous m'entendriez toujours, on se voit demain ! Allez, bonne chance !

Il lança le téléphone de toutes ses forces contre un mur et souffla un peu. Il en avait assez de cette laisse électronique.

— Qu'est-ce que Mandant t'a dit ? demanda Decin.

— La victime est un prêtre.

— Ah bon ?

— Ouais… Alors de deux choses, l'une : soit c'est arrivé aujourd'hui et je m'en fous, soit c'est arrivé hier et…

— Et quoi ?

Specteur expira bruyamment et murmura :

— Et je viens de perdre mon pote, le curé Ré… Hier, c'est lui qui officiait…

DEUX

Sa tête sous le bras, le joli mannequin défilait, faisant métronome du cul et de la hanche. En guise de vêtement, elle portait une peau d'homme intégrale, qu'elle avait enfilée comme on enfile un habit d'homme-grenouille. Dans son dos, pendouillait, tel un capuchon, la tête empaillée de l'ancien propriétaire de l'enveloppe corporelle. La mode satanique donnait parfois dans la taxidermie. On aimait ou on n'aimait pas.

Arrivée en bout de piste, la belle s'inclina, ramenant ainsi le crâne de l'homme sur ses épaules. Elle souleva ensuite sa tête à elle à la hauteur de la tête empaillée et l'embrassa goulûment. Des clameurs et des sifflements fusèrent d'un peu partout dans la Taverne Occulte. Les disciples du Diable en avaient pour leur argent. Ou plutôt pour leur âme.

Tapi dans un coin, l'inspecteur Specteur regarda son trench noir en se disant que cette guenille passe-partout valait bien un manteau d'épiderme malodorant. De toute façon, entrer dans la peau d'un autre homme ne faisait pas partie de ses fantasmes, même les plus lointains. Il replaça ses cent trente-six cheveux et, tandis qu'il avait la main en l'air, en profita pour faire un signe au serveur. Une bouteille de Maiissìhkh givrée ne tarda pas à se retrouver sous son museau. Le meilleur inspecteur de police du monde la prit au collet. L'alcool de maïs et de navet pourri inonda sa bouche, caressa sa gorge, plongea dans son œsophage et tapissa son estomac de vérités brûlantes. Une explosion de chaleur se fit en lui. Un feu d'artifice interne, intra-veineux. La soif, la dose, la délivrance. Maiissìhkh bienfaiteur.

Cependant que Specteur s'engourdissait, les mannequins continuaient de défiler sous les regards embués des suppôts ivres de sensations crues. Une jeune femme avança lentement sur l'estrade qui fendait la foule. Elle était entièrement nue. Aux endroits stratégiques, sa peau avait été découpée soigneusement suivant les formes d'un soutien-gorge et d'un slip, de sorte qu'à la place de la poitrine et du pubis, on voyait la cage thoracique et le bassin. Derrière les os, on distinguait le mouvement régulier des organes et des muscles au travail. Ce qui réchauffa considérablement l'atmosphère. Consciente de l'effet qu'elle produisait sur la foule, la jeune femme plongea la main derrière son sternum, et en fit jaillir son cœur qu'elle mordit à belles dents. Le sang gicla jusqu'à la troisième rangée de spectateurs. La foule hurla son appréciation, et l'exhibitionniste nouvelle vague s'en retourna saigner en arrière-scène.

Vint ensuite une grande rouquine, qui semblait montée sur des échasses, tellement elle était grande et mince. Son corps était recouvert de quelques centaines de petites rondelles oblongues et convexes qui réfléchissaient la lumière comme une boule miroir. On aurait dit des écailles de poissons. Toutefois, en y regardant de plus près, on se rendait compte qu'il s'agissait d'ongles humains. Des ongles d'hommes, plus précisément, enduits d'un vernis éclatant.

Malgré tout le mal qu'elle s'était donné, la pauvre n'eut droit qu'à des applaudissements polis. Elle s'éclipsa en se grattant une fesse, semant quelques ongles derrière elle.

— *Alii aliis rebus delectant…*, soupira Specteur.

20

Sitôt la rouquine sortie, une petite brune aux chairs flottantes fit une entrée remarquable, empalée qu'elle était sur la barre d'un monocycle. Serrant les fesses, elle tournoya sur elle-même, fit quelques axels, bonds et autres figures déchirantes que seul un disciple du démon pouvait se permettre sans risquer la mort ou, tout au moins, de vilains brûlements d'estomac.

La monocycliste n'avait nul besoin de vêtements. De larges poches de peau flasque pendaient un peu partout le long de sa personne, cachant ses parties intimes. Comme si elle avait perdu cent kilos en cinq secondes. Quand la brunette faisait la toupie, la force centrifuge soulevait ses haillons de peau et les ramenait à l'horizontale. Ce qui lui donnait l'allure d'une ballerine vêtue de multiples tutus à chair molle, répartis des pieds à la tête.

Specteur en avait assez vu. Il engloutit le reste de sa bouteille et fila en douce.

La nuit se foutait de sa gueule. Elle qui avait laissé présager une évasion totale, loin des préoccupations terrestres, le ramenait brusquement à lui, cédant déjà sa place aux premières lueurs de l'aurore. « Plus que quelques heures avant de voir grouiller la vermine humaine… », songea-t-il.

La journée s'annonçait plus fraîche. Mais elle s'éveillait sur une nuit sans sommeil. Spec avait mal à sa vie. Il broyait du noir mêlé de sang. « Tout est toujours à recommencer, alors que tout mériterait de se terminer… », pensa-t-il.

Le curé Ré squattait son cerveau. Il était clair qu'il y aurait eu mieux à faire, pour un disciple du Diable, que de se lier d'amitié avec un prêtre. Mais le mal, ou le bien, était fait.

Le commandant Mandant avait été ferme[1] :

— Tu veux pas venir à l'église pour examiner le corps du prêtre ? Fais à ta tête, comme toujours,

---

1. Ce qui était exceptionnel vu son gras de bide.

morveux ! Mais sache que je veux te voir au labo, demain matin, première heure !

Le cadavre d'un prêtre dans une église… Peut-être même d'un prêtre qu'il connaissait très bien. Specteur s'y serait brûlé les couilles et Satan se serait payé sa tête.

— Il y a des limites à ce qu'un inspecteur de police est prêt à faire pour son boulot, marmonna Spec. Surtout quand ses couilles sont en jeu.

TROIS

L'inspecteur Specteur arriva non pas à la première heure au labo, mais à l'avant-première, puisqu'il y dormit le peu de temps qu'il lui restait à dormir. Il n'y avait aucune chance à prendre. Il devait intercepter Decin, le médecin légiste, avant qu'il ne soit trop tard.

Specteur avait choisi de ne pas satisfaire sa curiosité. Il s'était contenté de s'étendre sur une civière, tout près du cadavre du prêtre dont l'anonymat était préservé par un drap blanc. Il fut réveillé par les murmures de panique de son collègue.

— Non, je ne peux pas… Je ne peux pas toucher ce corps… Merde ! Il faut que je le fasse, pourtant ! Merde ! Merde ! Merde !

— En voilà une façon de courtiser un mort, lança Specteur en se bidonnant.

Decin sursauta. Du coup, il effleura le cadavre du revers de la main et se brûla.

— Aïe ! Putain de prêtre !

— Je sais, dit Specteur. Faut s'y faire. C'est ce qui se produit quand on touche un représentant de l'Église.

Le médecin se ressaisit.

— C'est ton ami ? demanda-t-il.

— Sais pas… J'ai pas osé regarder.

— T'es là depuis longtemps ?

— J'ai dormi ici. Il fallait que je te voie avant que ce gros con de Mandant ne se pointe.

— Qu'allons-nous faire ? Je ne peux absolument pas pratiquer une autopsie sur le corps d'un prêtre. C'est diaboliquement impossible !

— Si, c'est possible. Tu finirais par guérir de tes brûlures. Mais le cadavre, lui, serait une perte totale.

— Qu'est-ce que tu suggères, alors ?

— Il n'y a pas mille solutions.

Spec jeta un coup d'œil à sa montre.

— Il faut faire vite. Mandant sera ici d'une minute à l'autre. Donne-moi un scalpel.

— Pour quoi faire ?

— Donne-moi un scalpel, j'te dis ! Nous n'avons pas une seconde à perdre !

Decin lui tendit l'instrument chirurgical.

— Tourne-toi, ordonna l'inspecteur.

Bien qu'un peu méfiant, Decin tourna le dos à son frère de feu. Specteur retroussa la chemise du médecin et lui flanqua une demi-douzaine de coups de scalpel dans les reins.

— Aïïïïïïe ! ! ! hurla Decin. T'es complètement givré, nom d'une merde !

— Fais pas chier ! Tu sais très bien que tu seras guéri d'ici une quinzaine de minutes !

— Oui, mais ça brûle ! Je ne sens plus le bas de mon dos !

— Ça ne fait rien. Pour l'instant, ce qu'il faut faire, c'est justifier notre absence aux yeux de Mandant.

— C'est que ça fait mal ! Et je pisse le sang !

— Ferme-la une minute ! cria Specteur. Allez, lève les bras que je te mette un bandage.

Une fois les plaies recouvertes, il ne restait plus qu'à attendre l'arrivée du commandant Merdant. Ce qui ne tarda pas. En effet, deux minutes plus tard, le dodu désagrément fit son entrée. Dans sa colère, il ne remarqua pas Specteur et alla se garer à un centimètre du nez de

Decin. Bouffi de rage, Mandant lui postillonna sa façon de penser.

— Tiens! une mauviette! hurla-t-il. Tu te rends compte? Il nous a fallu aller en banlieue pour trouver un autre médecin légiste! En banlieue! Tout ça parce que monsieur Decin, NOTRE médecin légiste, a refusé de venir constater le décès!

Decin haussa les épaules.

— J'ai cru comprendre, poursuivit Mandant, que, Specteur et toi, vous vouliez pas entrer dans une église!!! C'est quoi, ces conneries?!!!

Il crachait son venin à s'en décrocher la mâchoire, ce qui faisait sautiller ses bajoues comme du saindoux.

— Ce n'est pas ce que vous croyez, commandant, fit Specteur.

— Ah! voilà l'autre pédé! Qu'est-ce que vous avez contre les églises, tous les deux, hein?!! Un prêtre vous a déjà forcés à lui astiquer le crucifix ou quoi?

Les deux suppôts échangèrent un coup d'œil complice.

— Écoutez, dit Specteur, la raison pour laquelle nous n'avons pas pu nous pointer hier, c'est parce que Decin était très mal en point et que je tâchais de lui venir en aide.

Specteur releva la chemise du médecin légiste et défit son bandage.

— Voyez vous-même…

À la vue des plaies qui suintaient, le commandant Mandant ne put refouler un haut-le-cœur et tapissa le médecin de son petit-déj'.

— Le porc! couina Decin. Il a vomi sur mes blessures!

Soudain tout petit dans son énormité, Mandant descendit les échelons de sa propre estime.

— Excusez-moi…, geignit-il. Je n'y suis pour rien…

Decin s'indigna.

— Au contraire, vous y êtes pour tout! protesta-t-il en s'essuyant du mieux qu'il put. Vous entrez ici comme dans une grange ! Vous me crachez au visage ! Vous me traitez comme si j'avais fait bouillir votre mère ! Bref, vous agissez en despote, en dictateur, ignorant volontairement et sciemment mes états d'âme ! Vous mériteriez que je vous traîne devant le comité de déontologie !

Mandant réagit prestement.

— Non, non ! Je t'en prie, calme-toi, calme-toi ! Je te demande pardon ! Je ne sais pas pourquoi je crie ! Je… je… je n'ai pas d'a… Je… Pourquoi ne m'avoir rien dit plus tôt ?…

— Il avait déjà assez de ses blessures, expliqua Specteur. Il ne voulait pas, en plus, se faire engueuler pour une petite bagarre de ruelle…

Le visage de Mandant se déforma.

— Je suis si maladroit ! Je ne suis qu'un gros imbécile !

Le gros imbécile tomba à genoux et poussa ses glandes lacrymales à fond de train. Puis il se jeta sur le côté et se recroquevilla sur lui-même. Mal à l'aise, Spec et Decin ne savaient plus où regarder. Ils optèrent finalement pour le plafond et en profitèrent pour faire un inventaire des fissures qui y foisonnaient. Au bout d'un moment, Specteur se lassa d'entendre gémir Gras-Double et lança :

— La maniaco-dépression, commandant, ça vous dit quelque chose ?

Mandant se figea mais ne dit mot. Devant le mutisme de son chef, Spec ajouta :

— Avec un billet du psy, ça peut aller chercher dans les six mois à un an de repos, v'savez…

Cette déclaration ne tomba pas dans l'oreille d'un sourd, mais dans celle d'un lourd. Le ventripotent mammifère se releva en reniflant et en morvant de surprise.

— C'est vrai ? demanda-t-il.

— Bien sûr. Ça peut même aller jusqu'à deux ans si on fait vraiment pitié.

— Non, je veux dire : tu crois réellement que je suis maniaco-dépressif ?

L'inspecteur Specteur soupira profondément et, malgré un sérieux dédain, posa la main sur l'épaule graisseuse de Mandant.

— Écoutez, commandant, dit-il, je ne suis pas psychologue. Mais regardez-vous un peu ! Une seconde, vous êtes en furie, la suivante, vous pleurez, vous nous faites des confidences, vous vous roulez dans vos larmes sans aucune pudeur… Ce n'est peut-être pas de la maniaco-dépression, mais ce n'est sûrement pas un rhume !

Le visage défait, les yeux mouillés, Mandant recula d'un pas, releva la tête et dégaina son arme. Specteur et Decin réagirent à peine.

— Qu'est-ce que vous foutez là, commandant ? demanda calmement l'inspecteur.

En guise de réponse, le maniagros vida son chargeur au hasard. Il fit éclater une éprouvette, brisa une vitre, troua un fauteuil, sectionna un cintre, cassa une ampoule et fracassa une tasse, blessant mortellement une mouche dans le feu de l'action. Le son de la dernière détonation résonna longuement dans les tympans des trois hommes. Personne n'osait parler. On aurait pu entendre une mouche expirer. Mandant baissa son flingue et remonta son froc.

— Assez de psychologie pour aujourd'hui…, marmonna-t-il en se dirigeant vers la sortie. Du concret ! Que du concret ! Le nouveau médecin légiste devrait être ici avant midi.

Avant de pousser la porte, il poussa un hurlement :
— JE NE SUIS PAS UN MANIACO-DÉPRESSIF ! ! ! BON ! ! !

À nouveau seuls, Spec et Decin gardèrent une minute de silence en mémoire des milliards de cellules défuntes dans le cerveau du commandant Mandant. Decin, qui se remettait peu à peu de ses blessures, ramassa ensuite les dégâts occasionnés par la fusillade en spéculant sur l'état du tas :

— Je me demande si quelques coups de scalpel dans les reins ne lui feraient pas le plus grand bien…

— Je crois surtout qu'il manque énormément d'affection, rétorqua Specteur. Si on pouvait le foutre entre les jambes d'une femme, il ne serait plus dans les nôtres.

À peine avait-il prononcé ces sages paroles qu'une robuste créature pénétra dans le labo. À en juger par le sac de cuir qu'elle tenait, cette femme n'était nulle autre que le nouveau médecin légiste. Ce qu'elle confirma aussitôt.

— Bonjour, messieurs, susurra-t-elle d'une voix qui ne cadrait pas avec son gabarit de camionnette. Je suis le docteur Tromald Leplacs et l'on m'a demandé de venir pratiquer une autopsie sur le cadavre d'un prêtre. Alors, avant de me lancer dans un dépeçage en règle, si vous pouviez me faire un compte rendu de ce qui s'est passé, j'apprécierais.

On fit les présentations d'usage. Puis Decin feignit de souffrir atrocement pendant que Specteur s'empressait de mettre le docteur Leplacs au parfum. C'était simple : personne ne savait rien de rien. Des fidèles avaient retrouvé le corps inanimé du prêtre et avaient aussitôt prévenu la police. Point. Le reste des informations dépendrait donc de l'autopsie.

La plus que plantureuse Leplacs s'approcha du cadavre et souleva le drap qui le recouvrait. L'inspecteur Specteur fut instantanément soulagé. Ce n'était pas son copain, le curé Ré. À vrai dire, Spec était doublement soulagé, puisque, dès qu'il avait appris que le macchabée était un prêtre, il avait tenté de joindre son ami, sans succès. Il s'était même rendu à son presbytère et n'y avait trouvé que du vent. Ce qui l'avait grandement inquiété.

— C'est fou ce qu'on peut s'en faire pour un mec à soutane, quand même, marmonna-t-il.

— Pardon ? fit Leplacs.

— Oh ! rien, rien, je… je faisais une prière.

— C'est tout à votre honneur, inspecteur.

— Merci…

Leplacs se pencha sur le cadavre.

— À première vue, aucune trace de blessures ou d'ecchymoses.

Elle semblait perplexe.

— On n'a donc aucune idée de ce qui a pu causer la mort de ce saint homme ? demanda-t-elle.

— Aucune, répondirent les deux hommes en chœur.

— Hummm… Très bien…

La mort de Ré écartée, Specteur se surprit soudain à fantasmer sur les courbes généreuses que dissimulait le sarrau du docteur Leplacs. Elle avait une chute de reins quasi à quarante-cinq degrés, une poitrine qui l'empêchait de voir où elle mettait les pieds, et des lèvres capables d'envelopper une trompette au complet. Cela suffit à faire dresser le deuxième cerveau de Specteur. Il se voyait tantôt flottant sur cette mer de replis humides, tantôt se blottissant, tel un nourrisson, au creux de ces bras gonflés de chair délectable.

Son premier cerveau le ramena soudain à la réalité. Avec raison, puisqu'il croyait avoir heurté Leplacs, tellement les coussins gonflables de la dame envahissaient son champ de vision.

— Vous avez entendu, inspecteur ?

— Euh… oui… bien sûr… euh, je n'ai pas entendu, non… Vous disiez ?

— Je disais qu'il était temps que je me mette au travail.

— Ah… oui… c'est ce qu'il y a de plus urgent à faire…

— Je disais également que vous feriez mieux de raccompagner votre collègue chez lui. Il a plutôt l'air mal en point.

Decin commençait à en avoir marre de feindre la douleur. Il était très mauvais comédien et tout cela prenait des allures de vaudeville.

— Oui, je le… je… Nous vous laissons travailler.

Spec agrippa Decin par un bras et le tira vers la sortie.

— Oh ! fit Leplacs avant de laisser filer les bizarroïdes. Qui c'était ce beau gros garçon qui montait dans sa bagnole en grognant quand je suis arrivée ?

Un beau gros garçon…

— Le commandant Mandant ? risqua Specteur en constatant que sa libido fuyait au galop.

Leplacs sembla ravie.

— Ah ! c'est donc lui qui m'a fait venir ! Vous ne l'avez pas contrarié, j'espère ?

— Pas le moindre du monde !

— Tant mieux ! Si vous voulez mon avis, ce Mandant a une gueule d'enfer !

Ce que le docteur Leplacs ignorait, c'est qu'en matière d'enfer, elle avait ce qui se faisait de mieux, juste là, à la portée de la main.

QUATRE

La lune auréolait la tête du Grand Nain, ce magnifi-que monument de deux cents mètres de hauteur, à l'effi-gie d'Alexandre le Petit[1], libérateur de la Friande.

Jamais le Grand Nain n'avait été aussi occupé. On projetait un film dans chacun de ses yeux, les discothè-ques qu'abritaient ses oreilles étaient bondées, le bordel, au niveau de son pénis, résonnait de mille gémisse-ments, les boutiques et les restos, logés dans ses orteils, débordaient de clients, des centaines de scientifiques fourmillaient dans son cerveau... même l'hôpital Cœur du Grand Nain était plein à craquer.

Le curé Ré avait d'ailleurs eu toutes les misères du monde à y être admis. Heureusement, à la dernière se-conde, une chambre s'était libérée. Enfin, on avait plutôt vidé une chambre. Le patient auquel on avait donné son congé avait eu beau protester, se plaindre de douleurs insupportables, s'évanouir à deux reprises, on l'avait foutu à la porte comme un vulgaire colporteur.

En entendant les supplications du malade, Ré s'était senti très mal de piquer ainsi la place d'un homme qui semblait aussi près de la guérison que lui de la fornica-tion. Mais Ré souffrait tellement lui-même qu'il n'avait pas trouvé la force de protester contre cette évacuation

---

1. Dit « le Grand Nain ».

sauvage. De toute façon, on avait jugé son cas extrême-
ment urgent et il était hors de question de laisser souffrir
un prêtre, ne fût-ce que pour un ongle cassé.

Comment s'était-il retrouvé là ? Ré l'ignorait. Tout
ce dont il se souvenait, c'était d'avoir bouffé à son resto
préféré et de s'être évanoui. Il n'avait repris conscience
qu'à la fin de son tour d'ambulance.

Dès son arrivée à l'hôpital Cœur du Grand Nain, le
curé Ré avait reçu une forte dose d'anesthésiants qui
l'avait plongé dans un demi-coma. On l'avait aussitôt
opéré et le prêtre avait, par la suite, dormi pendant plus
de vingt-deux heures d'affilée. Il était maintenant hors
de danger.

Quand il s'éveilla, Ré se sentit aussi lourd qu'un de
ses sermons. Il avait toutefois l'impression qu'il se remettait à une vitesse telle qu'il s'en effraya. Il n'osait ouvrir les yeux.

— J'ai prisé ? gémit-il. Dites, j'ai prisé, c'est ça ?

— Reste calme, vieux…, murmura une voix qui lui
semblait familière.

— On m'a donné de la coca par intra, c'est ça ?

— Pas du tout. On t'a plutôt suggéré de ne pas toucher à cette merde pour les cent vingt-cinq prochaines
années…

Il n'y avait aucun doute, c'était la voix de son grand
copain. Ré ouvrit les paupières et enfila son sourire des
grandes occasions.

— Spec ! Comme ça fait du bien de te voir jouer au
papa avec moi !

— Tu ne t'attendais tout de même pas à ce que je
joue au docteur…

Le curé s'esclaffa et se redressa sur son lit avec la ra-
pidité d'un ninja. Il se tapait sur les cuisses. L'inspecteur
Specteur fut surpris. Bien sûr, sa blague était hilarante,
voire désopilante, mais l'énergie de son pote ne corres-
pondait pas vraiment à celle d'un homme fraîchement
opéré.

— Je commence à me demander si t'as pas raison. On t'a peut-être fait prendre de la poudre à ton insu…

— Non, non, protesta Ré. Je me suis gouré ! Je me sens tout bonnement en pleine forme !

— Comment est-ce possible ? On t'a opéré il n'y a même pas vingt-quatre heures !

Ré, qui ne savait même pas qu'on l'avait ouvert sans frapper, ne s'en formalisa pas outre mesure.

— Ah bon ? fit-il. De quoi est-ce que je souffrais ?

— D'un cancer généralisé et de la gangrène aux deux jambes.

— Vraiment ?

— Mais non ! Ce que tu peux être naïf ! Tu vas finir par adhérer à une secte, tu sais.

La gorge du curé éructa de nouveaux rires bien gras.

— Qu'est-ce que j'avais, sérieusement ? demanda-t-il après s'être calmé.

— Une simple crise d'appendicite… *Spero fore ut mox convalescas.*

Le prêtre souleva son drap et s'examina. Un drôle de sourire suturé apparaissait sur son bas-ventre. Rictus et bouche cousue.

— Hmm… on semble avoir fait du beau travail…

— Ouais, mais bon, t'aurais pu me prévenir quand même que tu rentrais à l'hosto ! Je t'ai cherché partout ! J'avais des nœuds dans les boyaux, moi ! Heureusement que j'ai eu l'idée d'aller à ce resto que tu fréquentes souvent. Sinon je serais encore en train de te chercher !

— Pardonne-moi, Spec, mais tout s'est passé si vite ! La seule chose que je me rappelle, c'est que…

— Qu'est-ce que vous faites là ? ! ! ! lança sèchement une infirmière en pénétrant dans la chambre.

— Eh ben…, fit Specteur, je suis venu…

— Pas vous, coupa-t-elle, l'autre, là, dans le lit !

Ce ton de chipie égratigna Specteur.

— Un peu de délicatesse! Cet homme vient d'être opéré!

— Ah oui! Pour quoi? Par qui?

— Ben, crise d'appendicite, enfin, c'est ce...

— Vous, je vous ai dit de la fermer! Vous n'êtes pas médecin, que je sache!

Décidément, cette femme avait raté ses huit cents derniers cours de savoir-vivre. L'inspecteur Specteur n'en supporta pas davantage. Il se planta devant le nez de la frustrée et lui décocha un coup de gueule:

— Qu'est-ce que c'est qu'ces manières?! Vous traitez mon ami comme un chien! Vous êtes vétérinaire ou quoi? D'où sortez-vous?! Vous avez été élevée par une famille de putois? de politiciens? de graines de sésame? C'est ça?

Dans un élan de colère, l'infirmière prit Specteur au collet et le plaqua contre un mur. L'effet de surprise fut indéniable. D'autant plus que cette garce l'immobilisait en poussant de toutes ses forces. Son front était couvert de sueur et elle respirait comme si elle venait de courir un marathon sur les mains. Spec sentait le corps de son agresseur vibrer contre le sien. On ne se quittait pas du regard. On se fonçait dans les yeux.

L'infirmière ne soufflant pas un traître mot, Specteur trouva la situation fort excitante. Car il sentait qu'il y avait dans cet affront, dans cette provocation, dans ce désir d'intimidation, un autre désir, plus grand encore: celui de toucher, de humer, de saisir, de se sentir moins seule, d'être deux. D'étreindre plus que d'emprisonner.

Maintes fois, cette esseulée avait brassé la cage des poltrons de son entourage et, chaque fois, elle s'était heurtée à un manque de heurt. Toujours, elle ne croisait que mollesse, inconsistance et apathie. Elle en était venue à croire que tous les habitants de la planète Nète au grand complet dormaient ou étaient sur le point de. Les confrontations se terminaient toujours de la même façon. Soit on s'éloignait d'elle en bougonnant, soit on lui ripostait faiblement, sans conviction.

Jamais cette arrogante n'avait connu un homme de la trempe de l'inspecteur Specteur. Jamais elle n'avait été si virilement confrontée. Cet homme était un homme. Rien de plus, rien de moins. Grâce à lui, à sa détermination, l'infirmière réussissait enfin à se coller sur autre chose qu'un oreiller, et ce parce qu'il y avait eu démonstration, hors de tout doute raisonnable, d'un authentique caractère de combattant, de charpenté, d'irréductible.

Petit à petit, l'infirmière relâcha ses muscles. Petit à petit, le gros de son impétuosité déménagea entre ses cuisses. Elle lorgna les lèvres de Specteur.

Le filou avait deviné, depuis longtemps, comment les choses allaient tourner. Et le moment était venu, pour lui, d'accélérer un peu lesdites choses. D'une poigne ferme, il souleva la cuisse de l'infirmière et la ramena contre sa hanche. Il poussa ensuite son bassin vers l'avant de façon à lui faire comprendre à quel point la vie était dure. Les langues se délièrent instantanément, mais nullement dans le but d'engager la conversation.

N'eussent été ses toussotements pudibonds, Ré aurait eu droit à un cours d'initiation à la sexualité spontanée. Par respect, cependant, pour la virginité tant oculaire que physique de son pote, Specteur s'éclipsa dans les toilettes afin d'y mieux monter la garde. Il évitait ainsi à son ami d'être témoin de l'usage abusif de la seringue en milieu hospitalier. Le curé dut donc se contenter de la version audio des ébats, mais ne fut pas déçu.

Quelques halètements, grognements et nœuds coulants plus tard, le couple retourna au chevet du curé. Les jambes molles, le regard fondant, l'infirmière était devenue aussi douce que si on l'eût trempée dans l'huile d'olive[1].

---

1. On ne parle pas, ici, d'huile d'olive extra-vierge, bien entendu.

— Aloooors…, chantonna-t-elle. Voyons un peu comment se porte notre grand malade.

Elle prit connaissance d'une fiche fixée au pied du lit. Specteur en profita pour faire un clin d'œil complice au curé. Il lui sembla discerner une mini-tente au milieu du lit. Les draps s'étaient soulevés, comme par enchantement…

— Je ne comprends pas…, lança soudain l'infirmière, ce qui eut pour effet de démonter la tente.

— Qu'y a-t-il ? demanda aussitôt Specteur.

— Oui, qu'y a-t-il ? répéta le prêtre.

— Voyez vous-mêmes, proposa l'infirmière.

Spec s'éloigna de façon à ce que Ré ne puisse voir la fiche. Une série de chiffres, de graphiques et de symboles lui rappela qu'il n'était pas médecin. Il n'y pigeait que dalle.

— Depuis quand utilise-t-on des hiéroglyphes pour remplir les fiches ?

— Ce n'est pas là qu'il faut regarder, mais plutôt ici ! précisa l'infirmière en pointant le haut de la fiche.

Ré s'inquiétait.

— Qu'est-ce qui se passe ? pleurnicha-t-il.

— J'en sais rien, mon vieux ! répondit Specteur, un peu agacé. Je ne vois rien de bizarre… T'as bel et bien été opéré pour une crise d'appendicite.

— Et par qui a-t-il été opéré ? demanda l'infirmière.

Spec lut.

— Euh… par le docteur Sapért…

— C'est ce qui cloche…

— Pourquoi donc ?

— Tout simplement parce que le docteur Sapért est décédé, il y a trois jours…

CINQ

Une pyramide de verre blindé. Trois mètres de hauteur sur trois mètres de largeur. En son centre, sanglée sur un anneau mobile à axes multiples, se tenait mademoiselle Zelle… Pierre précieuse… Entièrement nue, yeux grands ouverts, bras et jambes écartés, la petite Zelle était figée dans le temps. Elle qui avait vécu les plus belles aventures auprès de l'inspecteur Specteur était, depuis plus d'un an, hors de son présent, prisonnière d'un autre temps, dans un corps qui était sien, certes, mais qui n'était âgé que de onze ans. Tout cela à cause de Dilleux Lepaire[1].

L'inspecteur Specteur n'avait jamais su quoi faire pour ramener le corps de mademoiselle Zelle à son âge actuel, c'est-à-dire à sa fin trentaine. Mais il ne cessait d'espérer. Voilà pourquoi il avait fait construire cette pyramide au beau milieu de son appartement. Il pouvait ainsi observer à sa guise sa douce Zelle en se disant qu'un jour, un éclair de génie lui révélerait comment ramener cette femme peu commune au temps présent.

Afin de bien saisir toute la complexité entourant la cage spatio-temporelle de mademoiselle Zelle, il suffisait d'admettre une chose très simple : le temps étant impalpable, l'absence de temps l'était encore davantage. Zelle

---

1. Voir *L'Inspecteur Specteur et la planète Nète* ou l'inverse.

était là tout en n'y étant pas. En d'autres termes, elle était visible mais intouchable, enfermée dans un costume de temps… ou plutôt de non-temps, en un temps inexistant. Or, c'était justement ce costume, cette pellicule intemporelle, qui était sanglé dans la pyramide et non Zelle elle-même. Inutile de préciser [1] que, quand bien même Specteur aurait voulu embrasser la jeune Zelle ou lui faire toutes autres civilités manuelles ou buccales, il en eût été incapable, à moins de percer, de pénétrer le fameux costume.

À défaut de pouvoir délivrer mademoiselle Zelle, Spec se contentait de la stimuler de toutes sortes de façons grâce à une foule de gadgets reliés à la pyramide. Un mécanisme automatique changeait son point de vue toutes les dix minutes, une musique enjouée chassait les lourds silences, de jolies souris blanches trottinaient à ses pieds, un piège, judicieusement placé, en égorgeait une par jour… Spec n'avait pas lésiné sur la coquetterie.

Mademoiselle Zelle avait également, en bonus, une stimulation visuelle des plus naturelles : Fido, le fidèle perroquet de l'inspecteur Specteur. Par contre, trop souvent seul, il avait pris la mauvaise habitude de tournoyer autour de la pyramide en délestant, çà et là, de petites offrandes sur les vitres.

Ce jour-là ne faisait pas exception à la règle. En plus de faire de la peinture abstraite, Fido s'était mis dans la tête qu'il lui fallait entrer dans la pyramide et se poser sur l'épaule de petite Zelle. Pour quoi faire ? Difficile de savoir quand on ne parle pas perroquet.

Toujours est-il que le volatile à tête chercheuse essayait pour la vingtième fois de trouver une faille dans la pyramide, sans succès.

— Bôôôôôôrrk ! cria-t-il en retournant sur son perchoir.

---

1. Ça, c'est bien moi. Je précise qu'il est inutile de préciser et je précise tout de même. Quel manque de rigueur !

Il faisait face à mademoiselle Zelle. Dans dix minutes, mécanisme automatique oblige, elle lui tournerait le dos. Il en profita donc pour la questionner du regard. Ses coups de tête de gauche à droite semblaient dire : « Qu'est-ce que tu fous ? Pourquoi t'ouvres pas ? Je te jure que j'vais pas t'chier sur l'épaule ! » Ce qui était peu crédible vu l'état des vitres de la pyramide.

Un « BANG ! » tonitruant retentit. C'était Specteur qui venait d'ouvrir la porte d'un petit coup de talon. Il tenait une grosse boîte dans ses mains.

— Bôôrk ? demanda Fido.

— Merde ! répondit Specteur.

Il venait de remarquer l'attaque aérienne dont la pyramide avait été victime. « Comment une petite bête aussi mignonne peut-elle contenir autant de dégueulasseries ? » se demandait-il.

— Bôôrk ?? répéta Fido avec insistance.

— Attends un peu, bordel de chiasse !

Il posa la boîte par terre, lança un regard à mademoiselle Zelle puis se tourna vers Fido.

— J'ai baisé avec une inconnue aujourd'hui et je me suis encore senti coupable à l'égard de Zelle. C'est la quinzième fois cette semaine et j'en ai marre !

Il ouvrit la boîte et en sortit un splendide perroquet. Une belle femelle de dix-huit ans.

— Alors voilà ! je te présente Fidouce ! Désormais, nous serons deux à nous sentir coupables !

— Bêêêêêêrk !!! lança Fidouce en guise de bonjour.

SIX

Les pneus de la Renault 5 noire de l'inspecteur Specteur crissèrent sur une dizaine de mètres avant de s'immobiliser devant le commissariat. Sur la gauche, un vespa pétassait chétivement en attendant son propriétaire. « Quel drôle d'engin…, songea Specteur. On dirait une moto qui a été malade… » C'était le genre de bécane qu'on imaginait appartenir à un ado boutonneux. Aussi Specteur frôla-t-il l'asphyxie totale en voyant le docteur Tromald Leplacs enfourcher, voire étouffer, le vespa.

— Inspecteur Specteur ! s'écria-t-elle en l'apercevant. Je sais que vous êtes venu chercher mon rapport d'autopsie ! Je sais aussi que vous l'attendez depuis deux jours, mais je vais vous demander de patienter un peu. Je suis tellement excitée que je l'ai oublié au labo ! Je vous expliquerai ! Je vais le chercher et je reviens immédiatement !

Leplacs s'éloigna rapidement tandis que la vie de son fidèle vespa s'envolait en fumée noirâtre derrière elle.

Le docteur à deux roues venait tout juste de disparaître quand Specteur fut interpellé.

— Bonjour, inspecteur !

C'était Crétaire, la secrétaire du commissariat. Elle grillait une clope, adossée à un platane. Image d'une sensualité désarmante…

— Crétaire, susurra Specteur. Si vous n'existiez pas, je crois que je vous inventerais [1]…

La secrétaire rougit à en faire fondre ses faux cils. Les yeux par terre, elle toussota timidement.

— Oh! je… je ne suis qu'une secrétaire, vous savez…

Spec déglutit et secoua la tête. Son ventre se courrouça malgré lui. Cette putain de manie qu'avaient certaines gens de se dévaloriser lui donnait la nausée. C'était d'autant plus vrai pour Crétaire. Car il y avait de bien plus belles choses à lui mettre dans la bouche que de pareilles vulgarités. Il fallait chasser cette philosophie de fataliste au plus vite. Spec s'approcha d'elle et prit son visage entre ses mains.

— Crétaire, lança-t-il sur un ton de remontrance, ne répétez jamais de telles sornettes devant moi! Je vous interdis de vous sous-estimer! Vous êtes ravissante, vous êtes mystérieuse, vous êtes élégante, sensible, vous sentez la joie de vivre et la sincérité, vous êtes toujours prête à rendre service, vous êtes musicienne, vous êtes cultivée, vous avez des doigts d'ange, une voix impénétrable, vous avez un tact comme il ne s'en fait plus, vous avez une grâce à faire flétrir un top model, vous avez de la classe, vous avez une autre clope, s'il vous plaît?

— Euh… beu… bien sûr, balbutia Crétaire en fouillant nerveusement dans son sac à main.

Elle sortit son paquet et lui tendit un petit bâton de vice. Spec le tint une seconde devant son nez puis le brisa en deux.

— Voilà votre seul et unique défaut! Et croyez-moi, vous compensez grandement par votre charisme!

Crétaire n'était pas sur un nuage. Elle était sur neuf cent trente-trois mille nuages. Son pouls battait à lui en déchirer l'aorte. Jamais on ne lui avait fait si belles louanges. Elle venait de gagner sa propre estime. Si elle

---

1. Joe Dassin, sors de ce livre!!!

ne s'était pas retenue, elle aurait sauté au cou de Specteur et l'aurait remercié à bouche que veux-tu.

— En d'autres termes…, continua Specteur.

La phrase demeura en suspens, car Crétaire avait cessé de se retenir. Compréhensif et surtout réceptif, Spec la laissa se soulager de son trop-plein d'affection et reprit :

— En d'autres termes, vous êtes aussi importante que moi. Et mille fois plus que ce gros imbécile de Mandant !

Ce disant, Specteur sentit une grosse main poilue lui tapoter l'épaule. C'était celle du commandant Mandant. Heureusement, il n'avait rien entendu.

— Spec ! lança-t-il en gloussant de plaisir. Comment ça va, mon vieux ?

Pris en flagrant délit d'encensement à l'endroit de son supérieur, l'inspecteur Specteur ne savait quoi répondre.

— V'voulez une clope, commandant ? finit-il par dire en lui tendant le petit bout cassé.

— Sans façon ! fit, pimpant, le ventru en présentant une paume.

C'était trop joyeux, trop irréel. Il y avait sûrement eu ingérence dans la tête de Mandant. Son moi habituel était désaccordé. Son esprit mentait à son corps. Sans doute involontairement, mais il mentait. Enfin, une grande partie de lui avait été envahie par un sentiment qu'on ne lui connaissait pas : la bonne humeur.

Malgré son inexplicable euphorie, Mandant se rendit compte que sa secrétaire était là.

— Qu'est-ce que vous faites là, Crétaire ? Vous n'êtes pas à votre bureau ?

— J'arrive du resto et je discute avec un homme charmant ! fit celle qui venait de se découvrir une personnalité. Ça vous cause un problème, commandant ?

— Mais pas du tout, très chère ! Bien au contraire ! Ça va me donner l'occasion de vous la présenter à vous aussi !

Spec interrogea Crétaire du regard. Elle haussa les épaules.

— Qui donc voulez-vous nous présenter ? demanda-t-elle.

— Ma future épouse, voyons ! répondit Mandant en posant les mains sur son cœur.

Spec n'arrivait pas à le croire. Le cirque n'était pourtant pas en ville ! Alors, qui d'autre qu'une éléphante masochiste pouvait bien prétendre à partager la couche du commandant Mandant ? Une aveugle ? Une manchote ? Une poupée gonflable ? Mystère... Oh ! bien entendu, la femme qui déciderait de faire sa vie avec cet obèse colérique aurait des réserves de graisses suffisantes pour survivre à une catastrophe nucléaire. Mais une telle éventualité soulevait des questions lourdes de conséquences. Par exemple : le commandant Mandant était-il vraiment comestible ? Et si oui, n'avait-il pas un goût horrible ? Même bien apprêté ? Specteur secoua la tête afin de chasser toutes ces questions. C'était trop dégoûtant pour un homme aussi sensible que lui.

Mandant regarda ses interlocuteurs en dodelinant de la tête, l'air de dire : « Allez ! Posez-moi la question ! Demandez-moi qui est l'heureuse élue ! » Mais ni Specteur ni Crétaire n'avait réellement envie de connaître la victime. Il leur fallait quand même éviter d'en savoir trop s'ils ne voulaient pas polluer leur cerveau d'images disgracieuses.

Heureusement, ils furent sauvés par la cloche. Le docteur Tromald Leplacs [1] revenait, à cheval sur son esclave mécanique, son rapport d'autopsie sous le bras. Elle eut à peine le temps de descendre du vespa que le commandant Mandant glissa son bras sous le sien et déclara :

— Inspecteur Specteur, chère Crétaire, je vous présente Tromald Leplacs, la mère de mes futurs enfants !

---

1. Elle était, effectivement, faite comme une cloche.

Le couple sourit et tenta, en vain, de s'enlacer. Crétaire fixa le sol en se mordant l'intérieur des joues. Specteur pensa à une pelle carrée en équilibre sur le capot d'une auto rouge à pois verts dont le pneu avant droit était dégonflé et le cendrier, plein. En fait, il tenta de faire diversion dans son esprit pour ne pas éclater de rire. Les pires répliques lui traversaient l'esprit. « Vous formez un très joli trio », « Qui portera la culotte de cheval ? », « Comment diable, madame, saurons-nous si vous êtes enceinte ? », « Pour votre nuit de noces, vous n'avez pas peur qu'on vous facture la chambre d'hôtel au kilo ? »

— Alors, demanda Mandant. Qu'en dites-vous ?

— Vous formez une jolie culotte enceinte d'une chambre d'hôtel au kilo.

— Quoi ? lancèrent, en chœur, Leplacs et Mandant.

Spec répara rapidement sa gaffe.

— Pardonnez-moi…, fit-il. J'étais déconcentré… Vous formez un couple… euh… formel et beau.

— Heureux de te l'entendre dire ! s'exclama Mandant.

Leplacs souleva un sourcil.

— Qu'est-ce qui vous déconcentre autant, cher inspecteur ? demanda-t-elle.

— Sans doute le rapport d'autopsie que vous tenez là…

Mandant se tapa dans les mains, et tout le monde sursauta.

— Allez, hop ! cria-t-il. Il ne faut pas mêler l'amour et le boulot ! Je vous laisse discuter viande fraîche entre vous ! Vous venez, Crétaire ?

Bien qu'elle n'en eût pas du tout envie, Crétaire suivit son brontosaure de patron. Leplacs regarda son homme s'éloigner et beugla :

— Je t'aime, mon bison !

Le commandant Mandant n'en demandait pas tant. Sa pression monta d'un cran et la timidité le poussa à l'intérieur du commissariat.

Pendant un moment, l'inspecteur Specteur se demanda comment on pouvait tomber amoureux, faire une demande en mariage et avoir une réponse positive en si peu de temps. Il cessa de se torturer les méninges en se disant que la folie ne connaissait aucune limite. De toute façon, Spec n'avait plus de temps à consacrer à l'étude des mœurs du bloc de suif à l'état sauvage. Il avait une enquête à mener.

— Bon! lança-t-il, si on passait aux choses sérieuses?

Leplacs s'offusqua.

— C'est très sérieux, le mariage, vous savez!

— Oui, oui! Non, non! Enfin, ce n'est pas ce que j'ai voulu dire!

— Tant mieux! trancha-t-elle.

Le docteur Tromald Leplacs remit alors son rapport à l'inspecteur Specteur et attendit sa réaction. Elle ne tarda pas à venir.

— Comment est-ce possible?

— D'aucune façon, répondit Leplacs.

— Merde…

Il n'y avait qu'une seule phrase dans le rapport d'autopsie. Celle-ci:

Sans la moindre incision, de façon scientifiquement inexplicable, les veines centrales et une partie des veines périphériques ont été retirées du corps de la victime.

SEPT

Edilos Érutrot était, tout comme mademoiselle Zelle, sanglé des pieds à la tête. Mais pas pour les mêmes raisons et pas tout à fait avec la même délicatesse. En fait, si on avait pu sangler, un à un, chacun de ses cheveux, on l'aurait fait. Rien ne devait bouger. Érutrot n'était pas, non plus, sous une pyramide de verre, mais plutôt dans une chambre noire. En haut, en bas, à droite, à gauche, devant, derrière : du béton. Que du béton. En guise de divertissement, on n'avait pas prévu de dispositif lui offrant un point de vue différent toutes les dix minutes. Érutrot n'en aurait eu que faire, puisqu'on lui avait crevé les deux yeux. Il avait bien fallu s'y résigner afin de pouvoir introduire dans ses vieilles orbites les tubes nécessaires à tous les tests. À vrai dire, les deux yeux étaient les seuls endroits où l'on avait dû forcer l'intubation. Pour tous les autres orifices (mis à part quelques embûches avec les oreilles), ça s'était fait les yeux fermés.

De tout bord, tout côté, bref par tous les tubes, Érutrot était constamment gavé de diverses gâteries. Codéine, cortisone, dépresseur, chlamydia, antidépresseur, liquide à lavement, stimulant, acide, pus, décongestionnant, graisse, herpès, aspirine, chloroforme, laxatif, sida, sucre, Viagra… Érutrot n'avait qu'à ne rien demander et il recevait la totale.

Curieusement, on ne lui donnait pas grand-chose par intraveineuse. Sérum, insuline, antibiotiques et, comme dessert, un tout petit peu de morphine.

Malgré ses souffrances, Érutrot ne criait jamais. Car afin de s'assurer un travail en silence, on avait eu la brillante idée de lui faire l'ablation des cordes vocales. Seul le rythme de sa respiration témoignait de ses états d'âme. Enfin, jusqu'à ce qu'on le branche à un respirateur artificiel. On n'avait pas eu le choix. Il fallait bien le forcer à rester en vie si on voulait venir à bout de tous les tests.

Érutrot aurait dû se méfier de cet ambulancier qui l'avait accueilli si chaleureusement à sa sortie forcée de l'hôpital Cœur du Grand Nain. Érutrot n'aurait pas dû le croire quand il lui avait promis de l'amener dans un endroit où l'on prendrait soin de lui. Érutrot aurait dû choisir de ramper sur les trottoirs de la ville jusqu'à ce qu'il s'use totalement. Aurait dû, pas dû. Dupe, pas dupe…

De toute manière, c'était trop tard. Ce fut terminé pour Érutrot dès qu'il entendit les voix.

— Vous avez terminé, Ineg ?

— Oui, Monsieur.

— Bien.

Dans ses veines, Érutrot sentit courir une dose d'adieu.

— Merci encore mille fois pour cette précieuse collaboration, monsieur Edilos Érutrot. Vous savez que vous êtes un excellent collaborateur ? Eh oui… Vous nous avez grandement aidés à effectuer ces derniers tests afin de nous assurer que tout était parfait. Je ne vous en remercierai jamais assez. Grâce à vous, nous sommes certains que tout fonctionne à merveille. Le corps réagit exactement comme nous le voulions. Il ne nous reste plus qu'à savoir attendre et tout viendra à point [1]. Pour l'instant, vous devez mourir. C'est précisé-

---

1. En plus d'être un sadique, ce salaud plagie Jean de La Fontaine de façon maladroite ! Pfff !

ment l'heure et le jour que j'avais déterminés pour vous. Adieu et merci encore.

Aucun doute là-dessus : Dilleux Lepaire savait parler aux hommes.

HUIT

Une dizaine de badauds étaient agglutinés devant un bosquet et leurs regards convergeaient vers un même point. Quelques cris fusèrent. Deux vieilles dames en pleurs s'enfuirent en se signant. De nouveaux curieux se joignirent au groupe. Ils furent bientôt une trentaine, penchés sur le bosquet à se poser des questions, à élaborer des théories, à crier au miracle, à la malédiction. Tout être vivant se trouvant dans le parc Arc était forcément attiré par les clameurs. Les flics étant des êtres vivants, deux d'entre eux finirent par se pointer et dispersèrent la foule dans le but de mieux voir ce qui provoquait ce rassemblement. Ils eurent un choc. C'était au-delà de leurs compétences. En fait, c'était au-delà de l'entendement. Un des flics lança un appel radio et, cinq minutes plus tard, l'inspecteur Specteur était sur place.

— J'espère que vous ne m'avez pas fait venir ici parce qu'un écureuil a fait du soixante à l'heure dans une zone limitée à trente !

— Pas du tout, inspecteur, fit le plus âgé des deux policiers. Voyez plutôt…

Il s'écarta et pointa le sol. Un chien sans tête reposait là, sur l'herbe maculée de sang. Cet incident banal, *a priori* indigne du meilleur inspecteur de police du monde, se révéla, cependant, d'un intérêt extraordinaire. La tête du chien avait plus que disparu. En effet, sa

51

forme, son contour, sa position, tout était là, mais en noir. La tête du chien était formée d'un *trou noir*. Comme si on l'avait découpée dans l'espace. Comme une portion d'image retranchée par ordinateur.

Les deux flics se grattaient le crâne et plissaient le front.

— Vous avez une idée de ce que ça peut être, inspecteur ? demanda l'un d'eux.

— Ce n'est rien…, mentit Spec. Vous pouvez y aller, les gars. Je m'occupe de tout.

— On est là pour vous aider, vous savez.

L'inspecteur Specteur les remercia, mais leur ordonna quand même de filer sous prétexte qu'il y avait plus important à faire pour eux que de regarder un clebs étêté. Les policiers obéirent et Spec se retrouva bientôt seul. Il se pencha sur la découverte.

— Putain de sa mère…, murmura-t-il.

Il avança la main et la plongea doucement dans le trou noir. Elle y pénétra sans que Spec sente la moindre résistance. Il enfonça davantage son bras jusqu'à ce qu'il se rende compte que sa main était en deçà du niveau du sol. Pris de panique, il se retira en vitesse et examina son membre. Tout semblait normal. Il s'empara d'une pierre, la jeta dans la tête du chien et attendit qu'elle heurte le fond, si fond il y avait. Néant. L'inspecteur n'entendit que le vide de l'infini. Ce ne pouvait être que l'œuvre de Satan. Ou de Dilleux Lepaire…

Intrigué par le phénomène, Spec décida d'inspecter les environs. Peut-être y découvrirait-il des indices lui permettant d'élucider ce mystère. Il remarqua, tout d'abord, trois renfoncements dans le gazon, formant un triangle parfait. Trois petits cercles du diamètre d'un manche à balai. À proximité, une dizaine de gouttelettes brunâtres faisaient courber autant de brins d'herbe. « Du sang séché…, songea Specteur. On aura transporté la tête du clebs jusqu'ici avant de la fourrer dans un sac… Mais pour quoi faire ? » Il prit un échantillon d'herbe souillée et le rangea soigneusement dans la poche de son trench.

Avant de partir, il fallait camoufler cette inexplicable bizarrerie. L'inspecteur Specteur ne tenait pas particulièrement à ce que le parc Arc devienne le lieu de prédilection d'ésotériques avides de paranormal. Il commença par pousser ce qui restait du chien dans le trou noir de sa propre tête. Le cabot tomba. Probablement pour l'éternité. « Excellent endroit pour se débarrasser d'un cadavre », pensa Specteur. Il recouvrit ensuite le trou d'un gros pot de fleurs qui gisait non loin de là.

Une série d'impacts sourds au rythme régulier retentit derrière lui. Spec se retourna et vit un étalon noir qui galopait dans sa direction. Il dégaina son .666 et mit le cheval en joue. L'étalon s'arrêta à deux mètres de lui, hennit à fond puis s'avança lentement. Il approcha la gueule de son oreille et souffla :

— Satan veut te voir samedi, sans faute, à la clairière sud de la forêt Rêt.

À en juger par la gueule du cheval, c'était vachement sérieux.

NEUF

L'infirmière Mière avait maintenant une raison de marcher, de respirer, d'agir, de vivre. Et cette raison s'appelait : l'inspecteur Specteur. Elle était folle de lui. Elle aurait nagé dans un lac d'asticots pour le retrouver. Cet homme l'avait brillamment enflammée. Jamais virilité n'avait si bien rimé avec volupté. Voilà pourquoi elle avait décidé d'aider Specteur, au risque de perdre son emploi.

C'était elle qui avait proposé ses services. Mière ne tolérant aucune irrégularité, la fiche du curé Ré l'avait doublement motivée. De plus, elle était mieux placée que quiconque pour mener une enquête à l'intérieur de l'hôpital Cœur du Grand Nain. Specteur n'avait pu faire autrement qu'accepter.

Les recherches de Mière commencèrent à la réception. Plus précisément, dans le registre des entrées et des sorties de l'hôpital. Elle nota que, le jour même de l'opération, quelqu'un avait bel et bien signé le nom du docteur Sapért à quinze heures vingt-huit minutes et, une autre fois, à dix-neuf heures cinquante-sept. Cet imposteur avait donc passé plus de quatre heures entre les murs de l'hosto.

Dans les archives, elle retraça la signature originale du docteur Sapért et la compara avec celle qui apparaissait dans le registre de la réception. Ça ne faisait pas de doute, c'était la même. L'imposteur avait un don certain pour imiter les signatures.

Mière se rendit ensuite au bloc opératoire à dessein d'examiner le compte rendu de l'intervention chirurgicale pratiquée sur Ré. Elle ne crut pas bon de se faufiler discrètement ou de jouer les hypocrites parmi les disciples d'Hippocrate. On craignait suffisamment son sale caractère pour la laisser fouiner sans lui poser la moindre question.

Il n'y avait que quelques jours que Ré avait été opéré. Son dossier devait donc se trouver dans le classeur de la semaine en cours. Mière le trouva dans la section des interventions mineures.

À première vue, ça ne semblait pas très orthodoxe et encore moins catholique. D'abord, les doses de Fentanyl, Thiopenthal et Anectine [1] étaient démesurées. On parlait, par exemple, de huit cents microgrammes de Fentanyl dès après la préoxygénation ! C'était quatre fois la dose ! On avait donc affaire, ici, à une anesthésie pour cheval. De quoi faire chuter la pression d'un zeppelin.

Une telle dose d'anesthésiants aurait dû entraîner des complications très graves chez le patient. Or, rien de tel n'était mentionné dans le rapport. Qui plus est, on ne disait absolument rien sur l'intervention chirurgicale à proprement parler. Que des informations générales. Arrivée du patient, départ du patient, durée de l'intervention, drogues utilisées. Plutôt maigre comme rapport. Et encore fallait-il croire le peu qui y figurait. Enfin, c'était louche, mais Mière n'avait-elle pas vu Ré de ses propres yeux et ne lui avait-il pas paru en pleine forme ?

Alors qu'elle s'apprêtait à remettre le dossier de Ré en place, Mière remarqua une tache blanche en bas d'une feuille. Juste en dessous de la liste des drogues utilisées. C'était du liquide correcteur. Il avait été si

1. Sachez que j'écris ces mots pour la première fois de ma vie.

grossièrement appliqué qu'elle se demanda comment elle ne l'avait pas remarqué plus tôt. Mière n'eut pas le temps d'examiner ce détail à sa guise, puisqu'un gardien vint se placer derrière elle. Il la regarda d'un air suspect.

— Qu'est-ce qu'y a ? ! ! lança Mière en se retournant. Z'avez jamais vu une infirmière consulter un rapport ?

Pris de court, le gardien balbutia quelque peu. Ou plutôt quelque beaucoup.

— Je… c'est… le… que j'ai… tu… vous… qu'est-ce… la… le… comm… pourquoi ? gerba-t-il finalement.

— Ça ne vous regarde pas !

Le gardien se raidit. Il n'arrivait peut-être pas à faire une phrase complète, mais il avait horreur qu'on défie son autorité. Mière avait prévu le coup et joua la carte du reproche.

— Au lieu de perdre votre temps à m'épier, jeta-t-elle avec mépris, vous devriez plutôt m'aider à retracer ceux qui ont volé les deux microscopes du labo !

Ébranlé par la nouvelle, le gardien recula d'un pas.

— Deux… deux microscopes ? ! !

— Quoi ? Vous n'étiez pas au courant ?

— N… n… non !

— Tant pis ! Chose certaine, moi, je suis au courant ! Et selon mes calculs, ça s'est fait il y a deux jours, entre quinze heures et vingt heures.

Les lèvres du gardien étaient scellées solide. Mière avait le contrôle parfait de la situation.

— Z'avez accès aux vidéos de surveillance ? demanda-t-elle.

— Euh… oui ! Oui ! Oui, bien sûr ! Oui !

— Dans ce cas, allons-y ! Je veux en avoir le cœur net.

Le gardien passa devant et l'infirmière le suivit en gardant une certaine distance. Chemin faisant, elle plia le rapport qu'elle avait toujours en main et le fourra au fond de la poche de son sarrau.

Une fois qu'ils furent arrivés au local de surveillance, Mière s'installa sur un fauteuil et le gardien se mit à fouiller dans les vidéocassettes.

— Il... y... il y a d... deux...

— Il y a deux jours ! C'est ça, oui !

Une minute après, la vidéocassette était dans le magnéto, et le gardien l'avança jusqu'en position « 15:00 ». Mière regarda le tout, en accéléré, s'attardant davantage aux heures qui l'intéressaient. Déception. Personne n'avait signé le registre à quinze heures vingt-huit pas plus qu'à dix-neuf heures cinquante-sept. Même avec une marge d'erreur de plus ou moins cinq minutes, personne. Tout au moins, personne qui ressemblait au docteur Sapért ou à un docteur tout court.

— Bon, ça va... J'ai dû me tromper dans mes calculs.

— C'est sû... sûrement ça...

Il était temps d'user de stratégie. Car il ne fallait pas ébruiter cette enquête privée. Aussi, Mière joua alors la carte de la fierté.

— Vous savez que vous avez une rigueur incroyable ? dit-elle en plongeant dans les yeux du gardien. Vous êtes sans doute le meilleur agent de sécurité de cet hôpital.

— Me... merci, fit l'autre.

— C'est pourquoi il faut que cette histoire reste entre nous, d'accord ?

Le meilleur agent de sécurité de l'hôpital hésita.

— P... pourquoi ?

— Parce que, dès que vous aurez une minute, je pense que vous allez sûrement passer en revue les vidéocassettes de la semaine. À force de zèle, vous allez trouver le voleur ou la voleuse et c'est vous qu'on traitera en héros ! Parce que c'est vous qui le méritez, et personne d'autre ! Voilà pourquoi !

Il se voyait déjà la médaille au cou, le pauvre petit gardien. Mière en profita pour lui fausser compagnie.

Quand il se rendit compte qu'il était seul, le futur héros se mit aussitôt à la tâche.

Pendant ce temps, Mière s'était enfermée dans les toilettes et dépliait le précieux rapport. Elle le souleva et plaça la partie masquée au correcteur devant une ampoule. Grâce à la lumière, elle arriva à lire le mot caché. C'était « Penthiobarbital ». Communément appelé « sérum de vérité ».

DIX

La porte du presbytère était verrouillée. Spec sonna, toqua, hurla et Adèle vint enfin ouvrir.

— Mon maître est dans la cour arrière, dit-il. Si vous voulez bien me suivre.

L'inspecteur Specteur n'arrivait pas à s'habituer à l'image de ce grand gaillard défiguré, vêtu comme une bonne, obéissant au doigt et à l'œil aux ordres du curé Ré. D'autant plus que son bon maître avait poussé l'audace jusqu'à l'affubler du nom d'Adèle. De la grande charité chrétienne.

Ce personnage, au tempérament aussi linéaire qu'une tonalité de téléphone, ne prenait aucune initiative personnelle. Il n'agissait, ne bougeait, ne remuait que si on lui donnait un ordre. La dépendance d'Adèle était si forte que Ré avait même dû lui donner l'ordre d'aller aux toilettes chaque fois qu'il en aurait envie. Pas le choix. La dernière fois que le curé avait eu le malheur de s'absenter deux ou trois jours, Adèle était resté planté au milieu du presbytère à attendre son retour, faisant dans son froc jusqu'à ce qu'il ne lui reste plus rien à éliminer. Résultat : Ré était rentré chez lui et avait trouvé son serviteur chancelant, hagard, totalement épuisé et déshydraté. Grave. Laissé à lui-même, Adèle végétait. Sa vie se résumait à de petits riens entrecoupés de gros riens.

Arrivé derrière le presbytère, Specteur trouva le curé Ré étendu sur un banc étroit, en train de soulever des haltères, hosanna au plus haut des cieux.

— Qu'est-ce que tu fous ? Tu prends des forces pour le lancer de la paterne aux prochains Jeux olympiques ?

Ré déposa les haltères et replaça sa soutane.

— Pas du tout ! fit-il, l'air enjoué. En vérité, je ne sais pas ce qui m'arrive...

Il s'interrompit et se tourna vers sa bonne.

— Adèle, va nous chercher des rafraîchissements, s'il te plaît.

— Bien, maître.

Ré poursuivit :

— Depuis l'opération, mon énergie a décuplé ! Je ne bois plus, je ne renifle plus, mais c'est comme si des millions de fourmis avaient envahi mon corps. Je ne suis jamais fatigué. Jamais !

— Tant mieux pour toi, mon vieux. Pour bien des gens, tu sais, c'est le festival du *burn-out* à longueur d'année.

— J'en conviens. J'espère seulement trouver quelque chose à faire la nuit prochaine.

— Tu ne dors pas ?

— Pas plus de deux ou trois heures ! Ce qui ne m'empêche pas, au petit matin, d'être frais comme une rose gonflée aux stéroïdes.

Adèle revint avec deux limonades bien fraîches.

— Merci, mon brave. Tu peux aller te reposer maintenant.

— Où dois-je aller me reposer, maître ?

— Va t'asseoir sur le balcon. Tu y seras tranquille. Et sers-toi une limonade, tiens !

— Bien, maître.

Ré ne fit qu'une gorgée de la sienne. Spec s'empressa d'exprimer ses tracas avant que le curé ne retourne branler ses haltères.

— Tu le connaissais, le prêtre qu'on a retrouvé mort dans ton théâtre de burlesque ?

— Mon théâtre ?

— Dans ton église.

— Ah ! Non, je ne le connaissais pas. Tout ce que je sais, c'est que ça devait être sa toute première messe. Pourquoi ?

— J'ai téléphoné au presbytère où il était censé loger.

— Et puis ?

— Il devait y être depuis un mois déjà, mais il s'est dit malade et a demandé l'autorisation de retarder son arrivée.

— C'est légitime.

— Le problème, c'est qu'il n'a jamais mis les pieds au presbytère.

— Ça alors...

Spec soupira et passa une main dans sa chevel [1].

— Il se passe des choses étranges à Capit..., dit-il.

Il informa son ami des derniers événements. Les veines, disparues comme par magie, la tête du chien...

— Et les gouttes ! s'exclama Specteur. Les gouttes sur l'herbe ! Je croyais que c'étaient des gouttes de sang. Le sang du chien, quoi ! Eh ben, c'était que de la putain de peinture ! De la peinture à l'huile !

Le curé Ré ne semblait pas très emballé par toutes ces nouvelles.

— Il y a ce docteur, aussi, ajouta Specteur, qui t'a opéré bien qu'il soit mort trois jours plus tôt. Tu ne trouves pas que ça sent mauvais, tout ça ?

— Ne t'en fais pas pour moi ! implora Ré en retournant à ses haltères. Je ne me suis jamais senti aussi bien ! Je n'aurais pas cru qu'être opéré de l'appendicite puisse me rendre si heureux !

Il ne fallait pas trop compter sur Ré. Son cerveau semblait avoir déménagé dans ses biceps.

---

1. Specteur ayant perdu plus de la moitié de ses cheveux, je ne peux écrire le mot « chevelure » au complet. Ça va de soi.

— Quoi qu'il en soit, reprit Specteur, j'attends des nouvelles de Mière à ce sujet.

— Mière ?

— Oui, tu te souviens, l'infirmière que j'ai…

— Ça va ! Ça va ! Je me rappelle ! lança Ré en se recouchant sous la tige de métal.

— Elle mène sa petite enquête de son côté.

— Très bien. Mmmpfff !

Tel un piston à haut régime, Ré secoua ses haltères une vingtaine de fois puis se releva, son col romain cerné par l'effort. Spec était pétrifié.

— Putain, Ré ! Va bientôt falloir t'appeler « monsieur » le curé !

— Ha ! ha !

— T'as pas peur que tes points de suture se cassent et que tes tripes aillent jouer dehors ?

— Aucun danger !

Il souleva sa soutane et exhiba une gaine qui le saucissonnait solidement. Spec sortit son .666 et cria d'une voix efféminée :

— Dégaine si tu es un homme !

Les deux amis s'esclaffèrent et se fouettèrent les cuisses. Ré couinait de rire. Le visage gonflé, les yeux inondés, il tomba à genoux et se prit les côtes. Specteur en fit autant. Bientôt, les deux comparses se roulaient par terre en tapant des pieds et des poings sur le gazon. La main du prêtre toucha celle de Specteur. La brûlure fut instantanée.

— Aïe ! ! ! s'écrièrent-ils à l'unisson.

Ils se calmèrent peu à peu et reprirent leur position verticale de bipèdes civilisés. Ré se massa les mâchoires.

— Oh là là ! Quel con ! Mais quel drôle de con tu es, mon pote ! T'es vraiment mon meilleur ami, tu sais…

— Toi aussi, Ré, toi aussi… Et dire que je peux même pas te donner la main ! Tout ça parce que t'es du côté des méchants…

Le prêtre écarquilla les yeux.

— Quoi ? Qu'est-ce tu racontes, Spec ? Où tu vas chercher ça ?

— Dans la logique de ta religion, mon vieux.

Le front de Ré prit l'allure d'une portée.

— Dis-moi, comment la logique de ma religion t'amène-t-elle à la conclusion que je suis du côté des méchants ?

— C'est très simple…

— Tant mieux parce que j'aime les choses simples et que j'ai une messe dans vingt minutes.

L'inspecteur poussa ses commissures vers le haut et s'expliqua :

— Alors, voilà. Selon ta religion, la religion catholique, quand une personne fait le mal, elle commet un péché, vrai ?

— Vrai.

— Elle agit contre la volonté de Dieu et, par conséquent, elle sert les desseins du Diable.

— C'est juste.

— À chaque fois qu'un homme fait du mal à son prochain, de quelque manière que ce soit, il travaille pour Satan. Et plus le crime est horrible, plus il est odieux, plus on s'entend pour dire que c'est vraiment là l'œuvre du Démon.

— Tout à fait.

Spec fit une pause, de façon à bien asseoir sa pensée, et poursuivit :

— Mais quand une personne meurt d'un accident d'auto, se casse une jambe en ski, chope le sida, se brûle au troisième degré, disparaît dans un tremblement de terre, se fait frapper par la foudre, enfin, quand le malheur est le fruit du hasard, du destin, on l'impute à Dieu.

Ré se contenta de soupirer car il ne trouvait rien de brillant à rétorquer.

— Qui n'a pas entendu, un jour, continua Specteur, un prêtre essayer de réconforter ses fidèles en clamant, haut et fort, que Dieu avait décidé que le moment était venu pour Machin Truc de quitter ce bas monde et que Dieu, dans son infinie bonté et son infinie grandeur, avait rappelé à lui Machin Truc parce qu'il avait jugé que Machin Truc avait accompli sa mission parmi les hommes et que Dieu avait maintenant besoin de Machin Truc à ses côtés? Qui n'a pas entendu le même prêtre rassurer l'amputé des deux jambes en lui faisant miroiter la chance de gagner plus facilement son ciel en acceptant le fait que son nouveau handicap n'était qu'une épreuve envoyée par Dieu lui-même?

— Mais encore? demanda Ré en feignant mal le désintérêt.

— Or, on tue par haine, par jalousie, par vengeance, on vole par envie, par nécessité, on blesse par méchanceté, on trompe par désir, on ment par peur, on triche par ambition. Bref, il y a toujours un motif, une raison, valable ou non, qui pousse à faire le mal. Satan a besoin d'une excuse, d'un mobile pour agir. Dieu, par contre, tue, blesse, vole, déchire, enterre, infecte, brûle, inonde... sans raison. Pour rien. Comme ça. Au gré du vent qui est sien. Cives a tyranno liberemus.

Il y eut un long silence de paix. Spec et Ré se souriaient. Comme si les forces du Bien et du Mal n'existaient pas, n'avaient jamais existé.

— Conclusion, lança Specteur, c'est ton patron qui est le plus méchant et le mien qui est le plus gentil... Et le mien ne se cache pas derrière un homonyme douteux...

Ré hocha la tête, s'empara de la limonade que Specteur n'avait pas daigné toucher et fit cul sec. Son sourire n'en devint que plus radieux.

— Je t'aime bien, finit-il par dire. Tu es un très piètre philosophe, mais tu es vachement loin d'être un idiot.

Spec se gratta le crâne en rigolant puis consulta sa montre.

— T'avais pas une messe, toi?

— Merde ! ! ! Faut que je file ! lança le curé en s'éloignant. Tu fermes bien derrière toi, hein ! Allez, au revoir !

Une pensée ironique traversa l'esprit de l'inspecteur Specteur. Il songea au fait qu'en disant « Merde », Ré venait de commettre un péché et, par le fait même, de servir les desseins de Satan. Il rigola à l'idée que Ré puisse, un jour, devenir un allié.

Spec n'avait pas encore fait un pas vers la sortie quand il entendit un hurlement d'horreur. C'était la voix de Ré. Il courut en vitesse jusqu'à la porte d'entrée. Elle était grande ouverte. Le prêtre était étendu sur le seuil, inconscient. Spec regarda dans tous les sens dans l'espoir d'apercevoir le ou les agresseurs. Ce fut à ce moment qu'il se rendit compte que les choses allaient vraiment de plus en plus mal. Sur une chaise, un verre de limonade entre les mains, Adèle se reposait. À vrai dire, il reposait en paix, puisque sa tête et une partie de son torse n'étaient plus qu'un joli trou noir.

ONZE

L'inspecteur Specteur et le médecin Decin admiraient les courbes élancées d'une sexy, plantureuse et majestueuse bouteille de Maiissìhkh. Les deux collègues étaient venus à la Taverne Occulte afin de discuter du cas d'un prêtre qui, en plus de ne pas avoir eu de veine, en avait encore moins. Mais ils durent se rendre à l'évidence : ils étaient tombés sur le mauvais soir pour discuter tranquillement. La place débordait et la clientèle était fort bruyante.

Toutefois, la soirée ne s'annonçait pas du tout désagréable, puisqu'on inaugurait les nouvelles nuits siX-siX-siX. Des nuits que le personnel de la Taverne Occulte promettait endiablées et juteuses.

Selon les affiches placardées un peu partout, la haute technologie de l'enfer avait permis de mettre au point des machines capables de saouler n'importe qui, en toute sexualité. On allait en faire la démonstration ce soir même.

Un grand garçon, d'au moins deux mètres de haut, monta sur une scène. Il était vêtu d'un chic pourpoint, ce qui l'allongeait encore davantage, et se déhanchait comme une tantouze qu'on aurait oublié de vermifuger. Personne ne lui prêta attention et l'on continua à bavarder comme si de rien n'était. De rien ne fut, pendant un bout de temps, effectivement. Jusqu'à ce que le garçon s'empare d'un microphone et se présente.

— Bonsoir à toutes et à tous, et bienvenue à cette soirée siX-siX-siX. Je m'appelle Nohcoc et je suis votre maître de cérémonie.

On l'ignora toujours avec autant d'entrain.

— Qu'est-ce que c'est que ce pingouin anorexique ?… murmura Specteur.

Decin ricana.

— On dirait une paire d'échasses avec des cheveux…

Une note de musique dissonante perça graduellement le brouhaha. Nohcoc demeura en place, fixe, imperturbable. À en juger par son statisme, il ne semblait pas vraiment avoir le sens du spectacle.

Une deuxième note, plus stridente celle-là, fit grincer les dents de plusieurs. Partout dans la Taverne, on dut hausser le ton afin de pouvoir s'entendre. Mais Nohcoc attira davantage les doigts d'honneur que les regards.

— Merde ! fit Specteur. C'est pas de la musique, ça ! C'est un chat qu'on empale, ma parole !

Une troisième note retentit. Elle était si aiguë, si pointue, qu'on vit, çà et là, des yeux éclater littéralement.

— IL EST DINGUE, CE MEC, OU QUOI ? hurla Decin.

Tout le monde porta ses mains à ses oreilles et se tourna vers la scène. La note cessa. On ignorait déjà beaucoup moins le grand garçon.

— Merci ! lança Nohcoc au microphone tandis que les gens se remettaient de leur surdose de décibels. Maintenant que j'ai réussi à capter votre attention, laissez-moi vous présenter nos nouveaux bébés !

De chaque côté de la scène, deux boîtes rectangulaires, chacune de la taille d'un frigo, roulèrent jusque sous les projecteurs. Elles étaient recouvertes d'une grande toile rouge qui avait pour but de garder les curieux en appétit. Deux éphèbes, étroitement enrubannés de soie, jaillirent de derrière les surprises et se tinrent prêts à les découvrir.

— Mesdames et messieurs! chantonna Nohcoc. Voici, pour le seul plaisir de vos sens, deux merveilles de la technologie luciférienne et j'ai nommé : le Vaginoir et le Pénissoir !

Les éphèbes retirèrent les toiles. Chacune des boîtes disposait d'une devanture vitrée derrière laquelle on pouvait voir, d'un côté, un homme et, de l'autre, une femme. Tous deux avaient beau être nus, la surprise était plutôt faible. Nohcoc s'empressa d'expliquer :

— Ces deux spécimens ont été entièrement créés en laboratoire. Ils ne disposent d'aucun organe vital. Il s'agit de machines faites de peau et de tissus humains, mais c'est là leur seule ressemblance avec l'homme. Et pour en montrer le fonctionnement, j'aurais besoin de deux volontaires : un homme et une femme !

Specteur se leva.

— Qu'est-ce que tu fais ? demanda Decin.

— J'ai besoin de me distraire un peu.

Il monta sur scène, en faisant tournoyer son .666, fier comme un paon prêt à faire « pan ! ».

— Oh ! nous avons même droit à un représentant des forces de l'ordre ! ironisa Nohcoc en accueillant l'inspecteur.

— Va pour la force, dit Specteur, mais, pour l'ordre, on repassera…

La blaguette souleva quelques rires. Spec fut aussitôt suivi d'une grande Noire qui avait plus d'anneaux métalliques sur le corps que de poils. Sous les projecteurs, elle étincelait comme un arbre de Noël.

— Et voilà une dame, poursuivit Nohcoc, qui a tellement de trous dans la peau qu'on pourrait presque parler d'un troupeau !

Le trait d'esprit du maître de cérémonie fut fort bien accueilli.

71

— C'est juste, rétorqua la trouée. Le pire, c'est que vous n'avez pas vu mes deux trous les plus jolis…

— On ne demande qu'à les voir, ma chérie !

— Qu'à cela ne tienne !

Tout ce qui pouvait rire dans la Taverne le fit avec grand bruit. Jusqu'à ce que la Noire sorte deux boucles de métal qu'elle enfila délicatement dans ses globes oculaires. Les rires firent alors place aux cris d'admiration.

— Voilà mes deux plus jolis trous ! s'écria la Noire.

La foule l'applaudit généreusement et Nohcoc lui baisa les pieds.

— Bon ! fit-il en se relevant. Il est temps de jouer, maintenant !

Il expliqua les règles du jeu. C'était fort simple. Il suffisait de travailler le sexe artificiel des deux spécimens humanoïdes jusqu'à ce qu'ils jouissent. Leur organe génital étant relié à un baril de Maiissìhkh comprimé, plus les participants arrivaient à provoquer un orgasme puissant, plus la dose d'alcool était importante.

Chez le spécimen mâle, un système hydraulique intégré à l'organe déclenchait une érection indéfectible au moindre effleurement. Chez le spécimen femelle, une bille enveloppée de caoutchouc extra-souple se lubrifiait d'un peu de Maiissìhkh dès qu'il y avait contact. Ne restait plus qu'à attaquer. On tira au sort et la grande Noire commença la première. Elle pouvait choisir le spécimen de son choix. Elle opta pour le mâle.

— Oh ! j'oubliais un détail ! lança Nohcoc avant que la dame ne se mette au boulot. Il est strictement interdit de se servir de ses mains…

D'un cri solidaire, tout le monde approuva ce règlement de dernière minute. Nohcoc appuya alors sur un bouton et la vitre protégeant le mâle coulissa. La Noire put donc procéder.

Le Pénissoir — tout comme le Vaginoir — étant surélevé, elle n'eut pas besoin de s'agenouiller pour s'acquitter de la suave besogne. Avant d'opérer, cependant, elle jeta un coup d'œil à la tête de son spécimen. Elle fut ravie. Mâchoire carrée, cheveux généreux, yeux bleu-gris, pommettes saillantes, tout y était. La grande métallique approcha donc sa bouche scintillante de la merveille technologique, et le système hydraulique entra immédiatement en fonction. Elle pompa, pompa, pompa, au rythme de ses anneaux qui s'entrechoquaient. De temps à autre, elle émettait un gémissement aigu, résultat d'un effort soutenu ou d'un plaisir ludique. On n'aurait su dire. Elle était très excitante à voir aller[1]. Specteur se retenait à trois mains pour ne pas la prendre pendant qu'elle s'exécutait. Au bout de trois ou quatre minutes, elle eut un haut-le-cœur et se retira en vitesse. Le Maiissìhkh vola par giclées jusqu'à l'autre extrémité de la Taverne. La Noire essaya, tant bien que mal, de happer le nectar au passage, mais dut se contenter de quelques gouttelettes volages. Dès que le Maiissìhkh eut fini de couler, la vitre coulissa à nouveau et un liquide savonneux nettoya la pauvre bête emprisonnée. Après quoi, un séchoir s'activa et le Pénissoir fut bientôt tout propre et prêt à accueillir une nouvelle cliente ou un premier client.

Les suppôts de Satan avaient une hygiène du tonnerre.

On donna une serviette à la seigneuresse des anneaux, de sorte qu'elle puisse regagner sa place sans risquer de rouiller au cours de la soirée.

C'était maintenant au tour de Specteur de se faire aller le lingual. Il opta, on s'en doutait bien, pour le Vaginoir. La vitre de l'appareil coulissa et la croupe artificielle fut à portée de bisous. Son spécimen était plutôt réussi. Elle était bien en fausse chair et présentait un buste des plus stimulants. Le minois était renflé d'une paire de lèvres gourmandes qui formaient un «O», comme celui qu'on retrouvait au début du joli mot

---

1. Et venir, bien entendu.

« Oui ». Aussi, Spec ne se fit pas fouetter pour entreprendre sa dégustation. D'autant plus qu'il avait soif et que sa langue commençait à prendre une texture féline. Il plongea, la gueule la première, dans la fontaine en devenir et entreprit la bille. Il utilisa la méthode labiolinguale que lui avait enseignée Satan lui-même un soir d'orgie. Chrono en main, il ne lui fallut que trente-sept secondes de travail avant de recevoir, en pleine tronche, une rasade équivalente à près d'un demi-litre de Maiissìhkh. Tout le monde, y compris Nohcoc, fut grandement impressionné.

— Quel coup de langue !!! s'exclama le maître de cérémonie. Non mais, quel coup de langue !

— *Ipsi cadunt fructus !*

L'inspecteur Specteur salua la foule et regagna vite sa table avant que Nohcoc ne décide de s'improviser Vaginoir. Le médecin Decin l'accueillit en héros et fit suffisamment de bruit pour qu'on remarque que Spec était son ami.

Nohcoc reprit le micro et réclama une dernière seconde d'attention.

— Maintenant que nous avons pu admirer la crème de la crème, messieurs, dames, je vous annonce que ces bijoux seront à votre disposition en tout temps, pour votre plaisir ou pour vous mesurer à des amis !

La foule hurla de bonheur. Nohcoc leva une main et redemanda le silence.

— Auparavant, dit-il, laissez-moi vous montrer pourquoi moi, Nohcoc, votre maître de cérémonie, je n'aurai jamais besoin de m'amuser avec l'un ou l'autre de ces charmants spécimens.

On entendit un roulement de tambour. Un rayon laser jaillit du plafond et fonça droit sur Nohcoc. Accompagné d'un petit nuage de fumée, le mince faisceau de lumière glissa sur le garçon, découpant ses vêtements de haut en bas. Un coup de cymbale marqua la fin du découpage et un rythme de percussion à consonance métallique démarra. Nohcoc retira ses vêtements et les lança dans la foule. Le volume de la musique annulant toutes possibilités d'entendre son voisin, on fut bien obligé de prêter attention au grand nudiste. Et l'on n'en regretta fichtrement rien.

Nohcoc commença par se courber vers l'avant, jusqu'à ce que son visage se retrouve entre ses deux genoux. Il écarta ensuite les jambes et poussa encore plus loin la tête pour finir par se flairer le troufignon. Rire général. Quand il se redressa, tout le monde remarqua qu'il avait considérablement enflé là où s'échappe la vie. On manifesta son appréciation à coups de sifflements prolongés. Mais le meilleur était à venir.

La musique fut coupée. Nohcoc croisa les mains derrière sa tête et amorça la descente. On comprit vite où il voulait en venir. Un murmure sourd et plein d'anxiété fit office de nouveau roulement de tambour. À mi-chemin entre le dire et le faire, un « CrrRroâokKrRr ! » retentit et, d'un seul coup, la tête de Nohcoc descendit de dix centimètres. Ce fut comme si quelques os avaient accepté, en se sacrifiant, de participer activement à l'accomplissement d'un nouveau plaisir solitaire.

Cet hymne à la dislocation en ravit plus d'un. Après tout, la pratique de l'autofellation[1] n'était pas chose courante et encore moins chose facile. Néanmoins, Nohcoc mena sa besogne à terme. Enfin, jusqu'à ce qu'il eût fait le plein de protéines. À la suite de ce charmant exposé oral, le public l'ovationna longuement et l'on s'empressa de lui envoyer un grand verre de Maiissìhkh afin de l'aider à diluer le fruit de sa performance.

— Chers amis, merci ! Trente millions de fois, merci ! Et maintenant, le Vaginoir et le Pénissoir sont à vous ! Allez et soyez gourmands ! ! !

---

1. Ne pas confondre avec « Loto-fellation », une vulgaire loterie où les dés sont souvent pipés.

Clients et clientes de la Taverne Occulte se ruèrent vers le Vaginoir et le Pénissoir. On fit la queue pour la queue. On fit la file pour la bille.

Pendant ce temps, Spec expliquait à Decin les rudiments du cunnilingus satanique. Le médecin, qui n'avait jamais semblé particulièrement attiré par la chose, écoutait pourtant son compagnon en salivant. Soudain, un homme s'écria :

— OH ! PUTAIN !!! MAIS C'EST PARFAITEMENT IDENTIQUE !!!

Sur ce, un type, cagoulé comme un moine repentant, fonça à travers les tables, direction sortie, et disparut.

— Qu'est-ce que c'était ? demanda Specteur. Qu'est-ce qui s'est passé ?

Le gueulard ramassa une toile que le fuyard avait laissé tomber et la tendit à Specteur.

— Visez-moi ça !!!

Il s'agissait d'une peinture à l'huile représentant le profil de l'inspecteur Specteur. Le drôle de moine l'avait croqué pendant que Spec discutait avec Decin. La ressemblance était hallucinante. Malheureusement, l'œuvre n'était pas signée.

— Pourquoi s'est-il sauvé à toutes jambes ? demanda Decin. Ça méritait des félicitations, pas des baffes !

— D'autant plus, renchérit Specteur, que si ce peintre a réussi à pénétrer dans la Taverne Occulte[1], c'est qu'il est un des nôtres. Un disciple du Diable, comme toi et moi.

C'était louche comme une poignée de main de politicien.

---

1. Pour ouvrir la porte de la Taverne Occulte, il faut cracher dans une Bible placée à l'entrée. Le non-disciple qui tenterait de pénétrer dans la Taverne en respectant ce rituel serait aussitôt dévoré par un gros hibou borgne. Pour plus de détails, voir *L'inspecteur Specteur et le doigt mort* et le saluer de ma part.

— Je dois rencontrer Satan sous peu, fit Spec. Je tâcherai d'en savoir davantage. En atten…

L'inspecteur se tut. Une idée scintillait derrière ses prunelles. Il tendit son portrait à Decin.

— Je veux que tu m'analyses la peinture qu'il y a sur cette toile et que tu la compares à celle que j'ai trouvée dans le parc Arc près du chien. Si elles correspondent, ça voudra dire qu'il y a peut-être un traître parmi les disciples du Diable. Un traître qui me court après…

DOUZE

Qui n'a pas entendu, un jour, un prêtre essayer de récon-forter ses fidèles en clamant, haut et fort, que Dieu avait dé-cidé que le moment était venu pour Machin Truc de quitter ce bas monde et que Dieu, dans son infinie bonté et son infinie grandeur avait rappelé à lui Machin Truc parce qu'il avait jugé que Machin Truc avait accompli sa mission parmi les hommes et que Dieu avait maintenant besoin de Machin Truc à ses côtés ?

Les paroles de l'inspecteur Specteur résonnaient dans la tête du curé Ré comme autant de vérités troublantes et de non-sens à la fois. Il n'avait qu'à remplacer *Machin Truc* par *Adèle* et il obtenait exactement le même dis-cours que celui de ce prêtre, qui se tenait là, derrière l'autel. Ce prêtre, dont Ré ignorait tout, même le nom. Ce prêtre que Ré aurait volontiers décapité sur la place publi-que, tellement sa rage et son impuissance étaient grandes.

Comment osait-il, lui qui ne connaissait Adèle ni d'Ève, ni d'Adam, ni de Caen, ni d'Abel, ni de personne au monde, comment osait-il, ce putain d'inconnu, pré-tendre comprendre la souffrance que Ré ressentait à ce moment précis de sa vie ? D'où tenait-il qu'Adèle avait chéri chaque seconde d'amitié vécue auprès de lui ? D'où tenait-il que Ré lui-même avait appris, aux côtés d'Adèle, à surmonter les épreuves de la vie et qu'Adèle serait bien fier de constater, aujourd'hui, la magnanimité de Ré dans sa résignation devant la volonté de Dieu ?

Ces obsèques obscènes, cette mauvaise pièce de théâtre mal répétée, mal interprétée, ces funérailles empreintes de railleries lui donnaient la nausée.

Heureusement, toute mauvaise chose avait une fin. Et la cérémonie s'acheva de façon très originale, c'est-à-dire par un gros « amen » bien senti et très lourd de sens, comme toujours.

Les fidèles repus, gavés d'hosties bien fraîches, sortirent de l'église en vitesse, histoire d'arriver au cimetière en même temps que l'officiant. On avançait en rang, bien aligné, bien serré. Comme si le fait de marcher en ligne droite, avec discipline, avait une incidence sur la vie. Comme si, en se pressant les uns contre les autres, on conjurait la mort en lui bloquant la voie, en l'acculant au pied de ses propres pieds.

Au cimetière, on se massa autour du trou, forçant la mort à y rester pour de bon. Ré pleurait doucement. De peine et de haine. À travers ses hublots à moitié pleins, il aperçut Specteur en retrait. Son long trench noir ondoyait à travers les larmes. L'inspecteur Specteur était vraiment son meilleur ami. Ré aurait voulu courir vers lui et se jeter dans ses bras. Tout aurait pris fin. Il serait mort brûlé. Mort brûlé vif. Consumé par l'amour de son contraire. Specteur sembla sentir le désarroi du curé, puisqu'il avança jusqu'à lui.

— Ça achève…, murmura-t-il pour le réconforter.

Une boule de rage comprimée, logée dans sa gorge, empêcha Ré d'émettre le moindre son. Il fixa le sol et attendit que le prêtre eût fini son oraison à la con. Quand il fut bien aspergé de gouttelettes d'eau bénite, le cercueil amorça sa descente au paradis des asticots. C'était fini. Adèle était enfin à son propre service.

— Allons-y, fit Spec qui voulait éviter à son ami de voir les fossoyeurs jeter la première pelletée.

— Juste une seconde…

Ré s'éloigna en marchant d'un pas décidé. Il s'approcha de l'officiant et, sans sommation aucune, lui fit don d'un majestueux crochet de la droite. Le coup propulsa le prêtre au fond de la fosse, à côté du cercueil.

— Tiens ! Profites-en pour faire connaissance avec Adèle ! De cette façon, tu sauras au moins de qui tu parlais, crétin !

Les nombreux témoins firent semblant de n'avoir rien vu et s'éloignèrent, qui en sifflotant, qui en parlant à voix basse. De son côté, Specteur applaudit discrètement Ré qui revenait vers lui.

— Toutes ces heures à faire des haltères t'auront servi à quelque chose, vieux...

Pour la première fois depuis le début de la journée, Ré éprouva autre chose que du chagrin. Il faillit même éclater de rire.

— Allez, viens, fit Spec que le cimetière commençait à sérieusement incommoder. Je te raccompagne.

Les deux amis marchèrent en silence vers la sortie. Un vrombissement fluet attira leur attention. Ils assistèrent alors à un spectacle à la fois rigolo et pathétique. À cheval sur leur vespa, le commandant Mandant et sa future épouse, madame Leplacs, roulaient dans leur direction. Tous deux vêtus de blanc. Avec leur casque, tout aussi blanc, ils avaient l'air de deux spermatozoïdes obèses.

— Bien le bonjour, messieurs ! lança Mandant dans un élan de jovialité sans pareil.

Le commandant avait un don particulier lorsqu'il s'agissait de repérer l'endroit et le moment idéals pour emmerder les gens.

— Monsieur le curé ! s'écria-t-il. Vous êtes un ami de l'inspecteur Specteur ?

— Un très bon ami, oui...

— Enchanté de vous connaître !

— Moi aussi, moi aussi...

Avec un tact incomparable, Mandant profita de la situation.

— Vous tombez tellement bien, monsieur le curé ! Je vous présente madame Tromald Leplacs ! Celle qui deviendra bientôt ma femme !

— Tant mieux pour vous…, grogna Ré.

— Je suis ravie de faire votre connaissance, monsieur le curé ! gloussa Leplacs.

— Commandant, lança Specteur qui voulait réveiller son idiot de patron, le curé Ré vient d'enterrer un être cher…

— Oh ! fit Mandant tout sourire, mes très sincères condoléances, monsieur le curé.

— Oui, très sincères ! ajouta Leplacs.

— C'est ça, oui…, ironisa Ré. Très, très, très, très, très sincères, oui…

Il y eut un petit malaise de presque rien du tout.

— J'y pense ! s'exclama Mandant dont le cerveau de bovin venait de générer une bêtise. Ce serait chouette si vous nous faisiez l'honneur de célébrer notre union, non ? ! !

Ré fronça les sourcils.

— Chouette ? Vous avez dit « chouette », c'est ça ?

— Euh… oui, répondit Mandant.

— Vous avez bien utilisé le terme « chouette », hein ? C-h-o-u-e-t-t-e ? Chou-et-te ?

L'inspecteur Specteur intervint avant que Ré ne crache au visage des deux frigos à roulettes.

— Ré se fera un plaisir de parler de tout ça un autre jour, commandant.

— Oh ! bien sûr, bien sûr, approuva Mandant. Il n'y a rien qui presse, n'est-ce pas, ma chérie ?

— Non ! acquiesça Leplacs en se tortillant. Y a pas le feu ! Quoique… Ha ! ha !

— Ha ! ha !

C'était surréaliste. Spec n'osait croire que Mandant et son pendant[1] féminin s'étaient pointés au cimetière

---

1. Très pendant à certains endroits, même.

dans le seul but de solliciter, voire de faire chier, un type qui était visiblement très en deuil. Il décida d'en avoir le cœur net.

— Qu'est-ce qui vous amène, commandant ?

— Ah oui ! euh… on a un autre cadavre sur les bras, mon cher ami.

L'inspecteur Specteur ne tenait pas particulièrement à devenir le cher ami du commandant Mandant, mais il avait un boulot à faire.

— Bon… De qui s'agit-il ?

— Il s'appelle Edilos Érutrot. Il a été retrouvé sans vie dans une des poubelles de l'hôpital Cœur du Grand Nain.

— Il va sans dire, murmura le curé Ré, la vie vaut la peine d'être mourue…

TREIZE

C'était la première fois de sa vie que l'inspecteur Specteur voyait un cheval faire de l'équitation. En effet, là, sous ses yeux, un étalon noir était monté sur une jument grise. Enfin presque monté, puisque ses sabots postérieurs touchaient toujours le sol. L'étalon poussait de toutes ses forces, par à-coups, mais arrivait à peine à faire avancer la jument têtue. Il était très mauvais cavalier. Spec n'aurait jamais misé le moindre friand [1] sur lui. Ni sur sa monture, d'ailleurs.

Le spectacle était pitoyable. À croire que l'étalon était aussi têtu que la jument ou tout simplement aussi bête que ses sabots. Pour Specteur, il apparaissait évident que les deux chevaux n'arriveraient à rien en persistant à vouloir se nuire mutuellement de la sorte. Il songea à leur faire part de ses observations mais y renonça, car il avait appris qu'on n'enfonçait pas la raison par la force et surtout pas dans des têtes aussi dures que celles des animaux.

Après une cinquantaine de poussées quasi vaines, le cul de l'étalon se mit à frémir. Comme s'il se préparait pour l'assaut final, la poussée ultime. Ce ne fut pas le cas. Bien au contraire, il arrêta net de bouger. Puis, petit à pe-

---

1. Monnaie de la Friande. Ne fonctionne malheureusement pas dans nos parcomètres.

tit, le cheval recommença à remuer le bassin, en soufflant et en s'ébrouant de plus en plus fort. De son côté, sans doute pour célébrer son triomphe, la jument hennit à pleins poumons et se vida les naseaux dans l'herbe fraîche. Tout à coup, l'étalon se cabra. On l'aurait dit furieux. Son cou se mit à grossir, à enfler, si bien qu'en moins de temps qu'il n'en faut pour l'écrire, il doubla de volume. S'y sculptèrent alors un torse, des pectoraux, des abdominaux, des épaules, des omoplates, des bras... La tête de l'animal, quant à elle, se mua en celle de Satan. Le Roi des Ténèbres était devenu Centaure.

Toujours cabré, Satan savoura, pendant quelques secondes, sa position de ruminant dominant. La vue était imprenable. Il reposa ensuite ses deux sabots antérieurs sur le sol et, ce faisant, encorna sauvagement la jument rébarbative. La pauvre bête se mit à saigner comme un porc[1]. En se débattant, elle ne fit qu'accélérer l'évacuation du précieux liquide et s'affaiblit rapidement. De quelques coups de mâchoires bien dirigés, Satan la délesta ensuite de son enveloppe corporelle et de ce qu'elle renfermait.

— C'est de la violence conjugale, ça, patron! s'insurgea Specteur.

— C'est plutôt de l'intolérance d'herbivore à tendances carnassières, rectifia Satan en recrachant un os.

Le nouveau Centaure avait fière allure. Lui qui avait déjà un physique très imposant se serait probablement effrayé lui-même s'il s'était vu dans une glace. C'est ce qui se produisit d'ailleurs quand il se pencha au-dessus d'un étang pour s'abreuver.

— Aaaaahh! s'écria-t-il en reculant. Guano de guano! T'as vu ma taille? T'as vu comme je suis intimidant? Guano! Ça fait peur!

— C'est... comment dire?... démoniaque, c'est tout.

---

1. Un porc en forme de jument.

— Quand même! protesta le Diable. Je dois bien t'effrayer un peu, non?

— L'image est terrifiante, certes, mais je sais très bien qu'au fond, vous êtes doux comme un agneau sur l'ecstasy.

Bien qu'il fût en plein centre de la forêt Rêt, loin des oreilles indiscrètes, Satan n'apprécia pas qu'on mît en doute sa virilité et sa cruauté. Il s'emballa et rua avec toutes les forces du Mal, dont il était le maître, dans la gueule de son disciple préféré. L'impact fut si puissant que Spec en perdit la mâchoire inférieure. Elle vola au loin et ses dents allèrent se planter dans un gros champignon.

— Huhain!!! se plaignit Specteur. Ha hait hal!

— Qu'est-ce tu racontes, trouduc?!!

— He haigne homme une héhéhante henhhruée!!!

— Tu rigoles moins, hein, petit malin!

La langue de Specteur lui pendait sur la pomme d'Adam. Le pauvre trépignait, les deux mains sous son absence de menton, pendant que Satan se bidonnait en piaffant. Plus Specteur se lamentait, paniquait, sautillait, plus il saignait. Et plus Satan rigolait. Au bout de deux ou trois litres de sang, l'effet de surprise était malheureusement passé. Le rire se fit moins sincère. Ce qui plongea Satan dans une profonde dépression. Il se jeta sur un flanc et se mit à brouter, sans conviction. Specteur avait beau s'agiter sous les yeux de son maître, le suppliant, du mieux qu'il le pouvait, de lui rendre son visage de vieux premier, rien n'y faisait. Il ne parvint qu'à exaspérer le Diable.

— Tu vois pas que je broute, là, bordel de guano? Il faut que je bouffe de cette herbe à la con quand je suis en Centaure! C'est pourtant simple, non?

Spec était bouche bée[1]. Non seulement il était en train de perdre la face devant Satan, mais il en avait déjà

---

1. Ou plutôt « mi-bée ».

la moitié plantée dans un champignon. Ce qui le rendait moins enclin à discuter calmement.

— Hahaud ! gargouilla-t-il entre deux râles.

— Ah ! arrête de pleurnicher ! gueula Satan. La jument devait pas être au menu, alors il faut que je me rattrape en broutant…

Résigné, Spec se jeta sur le dos et se laissa dégoutter tranquillement en attendant l'autoguérison. Il en avait pour une bonne quinzaine de minutes. À moins que son maître ne daigne lui offrir une reconstitution faciale en accéléré.

— He he henherai hien ha…, balbutia-t-il à voix basse.

D'un coup de pattes gracieux, Satan se remit debout et trotta jusqu'à Specteur. Il lui urina directement au visage, ce qui eut pour effet de régénérer sa mâchoire et de l'humilier encore une toute petite fois. La gueule fraîchement restaurée ne tarda pas à se faire aller.

— Putain, patron ! Vous n'y êtes pas allé de sabots morts !

Satan soupira à fond et deux longues flammes jaillirent de ses narines. Ce qui n'inspirait pas confiance.

— Je suis dans la merde, Spec ! Dans la grosse, grosse, grosse merde ! Dans le guano gluant… Et y a que toi qui puisses m'en sortir…

L'inspecteur Specteur n'avait jamais vu le Diable dans un tel état. Il avait vraiment l'air désemparé.

— Qu'est-ce qui vous arrive ?

Une ombre traversa le regard du Centaure.

— Ce qui m'arrive… Ce qui m'arrive, c'est qu'un de mes merdeux de disciples a un pouvoir supérieur au mien, bon ! Voilà ce qui m'arrive !

Un pouvoir plus grand que celui de Lucifer lui-même ! Spec n'arrivait pas à le croire.

— C'est un nouveau disciple ? demanda-t-il.

— Pas du tout. C'est ça le pire. Ce salaud est un très vieux suppôt.

— Comment se fait-il, alors, que vous ayez attendu jusqu'à aujourd'hui pour vous en plaindre ?

— Il te faudrait connaître l'histoire de ce personnage pour comprendre.

— Allez-y, je meurs d'envie de l'entendre.

— Et, moi, je n'ai pas du tout envie d'en parler ! C'est la pire gaffe de mon éternité ! Et puis, j'ai un Enfer à gérer, moi !

L'inspecteur Specteur crut bon de ne pas insister, mais alors là, pas du tout. Une mâchoire était si vite démantibulée…

— Va plutôt à la satanothèque, suggéra le Diable. L'histoire de ce putain d'enfant de salaud de guano de merdier de mes deux est dans un tout petit livre intitulé : *La gargouille qui voulait se faire plus forte que Belzébuth.*

QUATORZE

Sur la table d'autopsie, le cadavre d'Edilos Érutrot reposait dans un état stable[1].

— Tu vois? dit le docteur Tromald Leplacs à son gros nounours. Ces bandes violacées qu'on trouve un peu partout sur les bras, sur les jambes, sur le cou, sur le front sont des traces de sangles. Cet homme a été fermement immobilisé pendant plusieurs heures, voire plusieurs jours.

Le commandant Mandant bandait quasiment. Lui qui, habituellement, vomissait à la vue d'une simple égratignure, découvrait maintenant les plaisirs de la chair morte. Son amour se redéfinissait à travers les ecchymoses de la vie.

— Tu es chanceux, mon bison! continua joyeusement Leplacs. Car nous avons affaire, ici, à un cas particulièrement tuméfié. Et à en juger par les différentes teintes qui recouvrent son corps, ce type semble en avoir vu de toutes les couleurs…

— Mais non, regarde! lança Mandant qui croyait avoir perçu une blague. Il a les deux yeux crevés! Ha! ha! ha!

Il rigola un bon gros brin jusqu'à ce que Leplacs l'assassine du regard. Le commandant faillit faire dans son

---

1. Sa mort s'était stabilisée.

91

slip. Le docteur lâcha un long soupir de découragement et se remit à la tâche sous le regard attendri de Bison.

— Voyons voir ce que ce bonhomme avait dans le ventre…

Elle prit un bistouri et découpa soigneusement la pulpe de l'abdomen. La couche de cuir présentait un drôle de dégradé. Les muscles, eux (enfin, les premiers à goûter au bistouri), avaient également changé de ton.

— Puis? fit Mandant. Alors? Hein? C'est quoi? C'est grave?

— Probablement, puisqu'il en est mort…, grommela Leplacs.

— Mais encore? insista le gros débile. C'est du jamais vu, hein? C'est comme ça, d'habitude?

Leplacs était trop captivée par ce qu'elle avait sous les yeux pour tenir compte de son porcin qu'elle savait, de toute façon, fraîchement lobotomisé par l'amour. Elle aussi était amoureuse, mais le ton de son Roméobèse jurait parfois un peu trop avec son statut de commandant.

— Et maintenant? continua Mandant. Qu'en penses-tu? Qu'est-ce que ça dit?

— Attends un peu! s'impatienta Leplacs.

Le foie était gonflé et difforme. Il semblait gorgé de toxines aussi diverses que nombreuses. Leplacs le découpa soigneusement. Ses yeux s'arrondirent aussitôt en apercevant les taches multicolores que présentait l'intérieur de l'organe. Ce qui fit croire à Leplacs que cet homme avait fait les frais d'une expérience peu commune et fort cruelle. Elle en eut l'atroce confirmation quand elle s'attaqua à l'estomac. Bien avant que d'y pratiquer une incision afin d'en vérifier le contenu, Leplacs remarqua une invraisemblance patente: l'intestin grêle avait été dévié. En y regardant de plus près, elle constata qu'il n'avait pas été que dévié, mais doublé! De sorte qu'un des deux intestins grêles était normalement situé et l'autre s'étendait jusqu'au niveau de l'appareil reproducteur!

— C'est dément…, murmura-t-elle.

— Qu'est-ce qu'y a ? Qu'est-ce que c'est ?

Leplacs était si profondément plongée dans le ventre d'Érutrot qu'elle en avait oublié la présence du gros intestin qui éructait à ses côtés.

— Excuse-moi, mon bison, mais je vais te demander de me laisser seule pour une heure ou deux. C'est du sérieux. Si tu veux rester, il faudra que tu gardes le silence. Il s'agit là du cas le plus inusité de toute ma carrière…

Mandant qui était crétin, certes, mais pas assez pour perdre l'estime de la seule femme à bien vouloir de lui sur la planète Nète, jugea bon de la laisser travailler en paix.

— Je reviendrai plus tard, ma bien-aimée.

— C'est bien.

— Et pardonne-moi encore si je t'ai irritée, ajouta-t-il, penaud.

Cette prise de conscience de la part de Mandant toucha grandement Leplacs. À un point tel qu'elle embrassa son toutou adipeux à lui en ramoner l'œsophage.

Sitôt Bisonet parti, Leplacs replongea dans sa foire aux surprises. Elle avait hâte de voir ce que renfermait l'estomac d'Érutrot. Délicatement, elle pratiqua une incision au sommet de la poche musculeuse. Le docteur Leplacs ne tarda pas à réagir.

— Ciel ! lança-t-elle en reculant d'un pas.

Le liquide blanchâtre qui s'échappait de l'estomac ne laissait aucun doute sur sa constitution. Il s'agissait bel et bien de sperme. Une quantité impressionnante de sperme.

QUINZE

Fido et Fidouce se la coulaient douce. Par grandes tirades de « Bôôôôôôrk ! » et de « Bêêêêêêrk ! », ils s'étaient raconté leur vie. Fido relata ses années auprès de l'inspecteur Specteur. Il avait été très bien traité et n'avait jamais manqué de rien. Il avait même eu droit à une godasse dans la tête, à deux ou trois reprises.

Fidouce, elle, avait eu une enfance difficile. Adoptée à l'âge de trois ans par une famille de riches trouducs, elle avait dû subir les mauvais traitements d'une fillette sadique qui la manipulait comme un vulgaire jouet de caoutchouc. Un jour que la petite démone voulait absolument voir Fidouce voler, elle l'avait agrippée par les deux ailes et l'avait secouée énergiquement de haut en bas une bonne dizaine de fois. Le jeune oiseau s'était débattu en jouant du bec. La fillette avait fini par lâcher prise au moment où Fidouce avait arraché son globe oculaire. La néoborgne était sortie en pleurant[1] pour prévenir ses parents qui prenaient le champagne dans le jardin. Fidouce en avait profité pour s'envoler par la porte d'entrée. On ne l'avait jamais revue. La fillette, encore moins.

À la suite de cette histoire troublante, Fido annonça à Fidouce que, désormais, elle n'avait plus rien à

---

1. D'un seul œil, naturellement.

craindre, puisqu'il la prenait sous son aile. La belle était si émue qu'elle laissa un peu de mou choir par terre. Fidouce était maintenant heureuse car elle avait enfin rencontré l'âme sœur en la personne de Fido. Une personne aimante, fiable, ni volage ni volatile. Elle n'eut malheureusement pas le temps de lui gazouiller à l'oreille qu'elle avait follement envie de lui, car Specteur sortait de la douche, le perchoir bien dressé.

— Qu'est-ce que vous regardez ? leur lança-t-il. Z'avez jamais vu un chef-d'œuvre corporel ?

Dans sa pyramide de verre, Zelle sembla sourire à sa remarque. Ou était-ce aux seuls souvenirs qu'évoquait son entrejambe ?... Spec n'aurait su le dire et cela importait peu. La seule vue de cette magnifique enfant, chaque matin, suffisait à lui fournir l'énergie dont il avait besoin pour nourrir l'espoir de la retrouver un jour, telle qu'il l'avait connue.

Les deux oiseaux avaient fini par ignorer la présence du maître et baisaient comme des bêtes. Dégoûté par ce manque de savoir-vivre (ils ne l'avaient même pas invité à se joindre à eux), Spec décida de foutre le camp. En ouvrant la porte, il tomba nez à nez avec une femme qu'il n'aurait jamais reconnue n'eût été l'odeur d'hôpital qu'elle dégageait. Elle n'avait, pour seuls vêtements, qu'une minijupe pleine de vent et une camisole de faiblesse.

— Mière ?

Elle sauta au cou de l'inspecteur et fourra sa tête dans l'échancrure de sa chemise. Elle demeura ainsi pendant une bonne minute à le serrer et à le bécoter. Spec était mal à l'aise. Son regard alternait entre les ébats à plumes et la jeune Zelle, toute nue, qui avait maintenant l'air de froncer les sourcils. Soucieux de ne pas passer pour un prédateur sexuel sadique, adepte de pédophilie et friand de copulation ornithologique, Spec poussa Mière à l'extérieur. Heureusement, elle n'eut pas le temps de remarquer quoi que ce fût, trop occupée qu'elle était à lécher le visage de Specteur de sa langue gloutonne.

La Renault 5 noire était garée juste devant l'appart. Spec savait très bien qu'y baiser relèverait du domaine du cirque. Mais il n'avait pas vraiment d'autres solutions. Il ne pouvait tout de même pas la prendre là, sur le trottoir, au vu et au su de tous.

— Pourquoi on entre pas chez toi ? supplia Mière entre soixante-vingt-douze-huit baisers. On y serait beaucoup plus à l'aise, non ?

— C'est que… je… je… j'ai… euh…, balbutia Specteur en mal d'une solution.

— C'est quoi ?

— C'est que… je…

Un violent « Eurêka ! » résonna alors dans sa tête. C'était dans ces moments-là que l'inspecteur Specteur était fier d'avoir un cerveau hors du commun.

— C'est que j'ai une bien meilleure idée…, roucoula-t-il au creux de l'oreille de l'infirmière. Mais il faut que tu me promettes de te laisser aller, quoi que je fasse.

— Promis…, susurra-t-elle, les jambes déjà tremblotantes.

Spec l'agrippa avec fermeté et lui ramena les mains derrière le dos. Mière poussa un petit cri qui trahit son excitation. Sans même lui lire ses droits, Specteur la menotta en prenant soin de ne pas abîmer ses jolis poignets. Ils pourraient toujours servir lors d'une prochaine rencontre. Le jeu put alors commencer.

— Qu'est-ce que vous foutiez chez moi, hein ? lança l'inspecteur en poussant Mière face contre capot.

— Rien, monsieur, je vous le jure, pleurnicha celle qui avait très bien saisi le manège.

— C'est ce qu'on va voir !

Les mains baladeuses de Specteur entamèrent la fouille.

— Vous ne bougez surtout pas !

— D'accord, monsieur l'inspecteur.

Il commença par en glisser une sous la jupe de Mière et, d'un geste sec et précis, arracha sa culotte. Un petit monsieur qui passait par là s'arrêta pour observer la scène.

— Qu'est-ce qu'il y a ? lui cria Specteur. Vous voulez que je vous arrête aussi pour entrave à un inspecteur de police dans l'exercice de ses fonctions ?

Le petit monsieur déguerpit aussitôt même si ses fonctions à lui manquaient sérieusement d'exercice. L'inspecteur reprit son inspection en profondeur. Pour ce faire, il dut avoir recours à un appareil sophistiqué conçu spécialement pour ce type d'exploration. Et justement, il avait un tel appareil sur lui ! Juste là, sous la main ! Quelle veine ! On ne l'affublait pas du titre de « meilleur inspecteur de police du monde » pour rien. Spec extirpa le fureteur de son uniforme et en vérifia la solidité. Il était en parfait état de fonctionner et présentait une belle fabrication de vices.

— *Dura lex, sed lex !* prévint Specteur.

Dès que l'instrument de recherche fut introduit selon la loi, la vilaine intruse passa aux aveux. Elle avoua avoir dérobé une série de « aaahh ! », de « hmm… » et autres « ouuuhh ! ». Sans compter les « encore ! », les « oui ! » et les « plus fort ! ». À force de travail acharné, l'inspecteur finit même par lui faire cracher un « ça y est !!! » qu'elle avait habilement dissimulé dans un coin sombre.

Il était temps, puisque Decin venait tout juste d'immobiliser sa Peugeot derrière la Renault 5.

— Qu'est-ce que vous foutez là ? demanda-t-il.

— Oh ! rien, répondit Specteur. Je… je ne faisais que montrer à l'infirmière Mière la méthode de fouille utilisée lors d'une arrestation virile…

— Bon, ça va ! Arrête tes putain de conneries ! Tu peux maintenant ranger ta lampe de poche et m'expliquer pour quelle raison on ne m'a pas confié le cadavre retrouvé dans la poubelle de l'hôpital Cœur du Grand Nain ?

— Hé ! s'écria Mière en filant un coup de pied dans les roubignolles de Decin, tu fais attention à comment tu causes à un inspecteur de police, d'accord ?

Les genoux collés l'un contre l'autre, Decin sautait sur place et faisait d'horribles grimaces.

— Cette fille est complètement folle, ma parole !

Spec s'empressa de retirer les menottes de l'infirmière avant que Decin ne l'embrasse d'un uppercut.

— Qu'est-ce qui lui prend ? ! Faut pas savoir ce que c'est que des couilles pour agir de la sorte, merde de merde !

— Qui c'est, ce babouin ? demanda Mière.

— C'est mon très bon ami, le médecin Decin, répondit Specteur d'un ton sec. Et je crois sérieusement que tu lui dois des excuses !

L'infirmière n'eut aucune hésitation. Les amis de l'inspecteur Specteur étaient ses amis. Bien que l'inverse fût loin d'être évident, pour l'instant.

— Monsieur Decin, je vous présente mes excuses les plus sincères.

Il y eut un long silence avant que le médecin ne se résigne à décoller les genoux et à accepter les excuses.

— Bon, ça va…, finit-il par maugréer. J'accepte vos excuses…

En bon suppôt de Satan qu'il était, Decin n'avait plus mal aux couilles depuis longtemps. Et tout ce qu'il souhaitait, maintenant, c'était savoir pourquoi on ne lui avait pas confié le dernier cadavre. Après tout, c'était lui le médecin légiste.

— C'est aussi toi qui vas bientôt épouser Mandant ? demanda Specteur.

— Merde ! Tu crois que…

— Eh oui ! On appelle ça du népotisme, mon vieux.

Mière, qui se tenait coite depuis trop longtemps, reprit sa place sur le terrain.

— J'ai du nouveau au sujet du curé…, déclarat-elle.

Spec souleva une oreille.

— J'écoute, dit-il.

— Eh bien, j'ai étudié son dossier en long et en large et je me suis rendu compte qu'on avait tenté de camoufler une information.

— Quel type d'information ?

— On avait biffé un élément dans la liste des drogues qu'on lui avait administrées.

— Lequel ?

— Le Penthiobarbital.

— Le sérum de vérité ! s'exclama Decin.

— Tu connais ce truc ? s'étonna Specteur.

— Je suis médecin, au cas où tu l'aurais oublié.

Spec resta songeur.

— Qu'est-ce qu'on aurait bien pu essayer de lui soutirer comme information ? s'interrogea-t-il. Le type de farine utilisé dans la fabrication des hosties ?

— Ce n'est pas tout, reprit Mière. Ce type qu'on a retrouvé dans une poubelle, j'ai entendu un collègue dire qu'il avait été admis à l'hôpital Cœur du Grand Nain quelques jours avant l'arrivée du curé.

— Et alors ?

— Il occupait la chambre 123.

— La même que Ré…, murmura Specteur.

— Exact. De plus, il a été expulsé, malgré son état très critique, le jour où Ré est arrivé.

L'inspecteur Specteur pataugeait dans une immense mer de confusion. Qui était cet homme ? Que lui avait-on fait ? Y avait-il un lien entre le prêtre sans veines, le curé Ré et ce troisième homme ? Et le sérum de vérité ? Avait-il été utilisé de façon à obtenir des renseignements à son sujet ? Savait-on, maintenant, qu'il était un disciple du Diable ? Il fallait vite voir si tous ces éléments étaient reliés entre eux. La vie de Ré, son meilleur ami, était peut-être en danger. Mais pour l'instant, il fallait surtout l'épargner, ce pauvre Ré. Le temps que ses douleurs se cicatrisent et qu'il fasse son deuil de ce cher Adèle.

— J'ai aussi du nouveau, dit Decin.

L'inspecteur Specteur était comme un chien aux aguets.

— Vas-y, crache !

— La peinture sur ta toile et celle du parc…

— Oui ?

— Ça provient de la même compagnie. Fabrication i-den-ti-que !

Bon. Fallait s'y attendre. Spec savait maintenant que l'homme qui l'avait peint à la Taverne était déjà allé dans le parc Arc. Et alors ? Cela le reliait-il nécessairement à l'affaire du chien étêté ? Peut-être. Et même si c'était le cas, comment Specteur pouvait-il établir un lien entre le prêtre sans veines, la signature du docteur décédé, son pote, Ré, l'histoire du parc et celle de son portrait à la Taverne ? Ça ne tenait pas debout. Ça ne tenait même pas couché. Spec sortit de sa tête.

— T'as eu le temps de vérifier l'emplacement où Adèle a été trouvé mort ? demanda-t-il.

— Oui, répondit Decin. T'avais raison. J'ai trouvé des traces de peinture ! La même peinture !

Ça allait de soi. La tête disparue. Le trou noir. Specteur se trouvait royalement brillant. C'était, toutefois, beaucoup d'informations pour un seul homme. Il sentait son cerveau qui bouillait. Pendant un moment, il s'imagina, enfant, devant un ciel étoilé. On lui disait : « Si tu relies les étoiles entre elles, tu auras un beau dessin qui te donnera toutes les solutions. » Facile.

SEIZE

La satanothèque de Capit était sise au sous-sol de la Taverne Occulte. Avant d'y descendre, l'inspecteur Specteur s'empara d'une bouteille de Maiissìhkh glacée. Il fallait bien, de temps à autre, joindre l'utile à l'absorbable.

Il traversait la Taverne en direction de la porte qui menait au sous-sol, quand il crut reconnaître celui qui siphonnait allègrement le Pénissoir. Mais oui! C'était lui! C'était le médecin Decin!

— Holà! cria Specteur. Ne viens surtout pas me draguer après si tu y prends goût, hein!

Decin faillit s'étouffer. Il se tourna vers Specteur et feignit l'indifférence du mieux qu'il put.

— Ah non! répondit-il en rigolant nerveusement, ce n'est pas ce que tu crois. C'est que le serveur n'était pas là et que j'avais une de ces soifs…

— Tout s'explique! persifla Specteur.

Il laissa son ami à ses exercices buccaux et descendit à la cave en ricanant.

À l'entrée de la satanothèque, un immense clavier de machine à écrire présentait les vingt-six lettres de l'alphabet et les onze signes de ponctuation. La chimie des mots. Ce qui rendait ce clavier très particulier, c'était le matériau original qu'on avait utilisé pour fabriquer les grandes lettres. En effet, elles étaient toutes formées à partir de corps humains. Avec un bras en travers d'une paire de jambes, on obtenait un « A ». Deux corps repliés, posés l'un au-dessus de l'autre, les fesses pointant dans la même direction, prenaient la forme d'un « B ». Un autre, en demi-lune, donnait un « C ». Quant à la lettre « Q », elle était graphologiquement très imparfaite mais fort suggestive.

En moyenne, les lettres humaines pouvaient durer jusqu'à six mois. Les signes de ponctuation — créés à partir d'organes mâles pendouillant — avaient toutefois tendance à flétrir prématurément et devaient, par conséquent, être remplacés plus fréquemment.

L'alphabet satanique avait ses propres lettres de noblesse.

Pressé de connaître l'histoire du personnage qui angoissait tant son maître, Spec s'en alla trouver le satanothécaire, un vieux suppôt lettré qui avait la très énervante manie de ne jamais dire les mots ; il les épelait.

— b, m, a, j, u, s, c, u, l, e, o, n, j, o, u, r, v, i, r, g, u, l, e, m, o, n, s, i, e, u, r p, o, i, n, t c, m, a, j, u, s, c, u, l, e o, m, m, e, n, t p, u, i, s t, r, a, i, t d a, p, o, s, t, r, o, p, h, e u, n, i, o, n j, e v, o, u, s a, i, d, e, r p, o, i, n, t d, a, p, o, s, t, r, o, p, h, e i, n, t, e, r, r, o, g, a, t, i, o, n

« Bon, songea Spec, il s'agit de le faire parler le moins possible. »

Il fallait donc que sa requête soit très précise, de façon à éviter toutes discussions inutiles. Specteur se concentra un peu et dit :

— Prêtez-moi, s'il vous plaît, le livre intitulé *La gargouille qui voulait se faire plus forte que Belzébuth.*

— e m, a, j, u, s, c, u, l, e s, t t, r, a, i, t d a, p, o, s, t, r, o, p, h, e u, n, i, o, n c, e q, u, e v, o, u, s d, e, a, c, c, e, n, t a, i, g, u s, i, r, e, z l, e c, o, n, s, u, l, t, e, r s, u, r p, l, a, c, e o, u a a, c, c, e, n, t g, r, a, v, e d, o, m, i, c, i, l, e p, o, i, n, t d a, p, o, s, t, r, o, p, h, e i, n, t, e, r, r, o, g, a, t, i, o, n

C'était loupé. Il n'avait pas été assez clair. Tant pis. La prochaine fois, il serait plus spécifique.

— C'est pour une consultation sur place.

— v m, a, j, u, s, c, u, l, e o, u, s a, i, m, e, r, i, e, z a, v, o, i, r l, a v, e, r, s, i, o n i, m, p, r, i, m, e a, c, c, e, n, t a, i, g, u e a a, c, c, e, n, t g, r, a, v e l a, p, o, s, t, r, o, p, h, e e, n, c, r, e o, u a, u s, a, n, g p, o, i, n, t d a, p, o, s, t, r, o, p, h, e i, n, t, e, r, r, o, g, a, t, i, o, n

— N'importe laquelle, je m'en contrefous !

Les veines du front de Specteur commençaient à gonfler dangereusement.

— b m, a, j, u, s, c, u, l, e o, n v, i, r, g, u, l, e d, a, n, s c, e c, a, s v, i, r, g, u, l, e d, o, n, n, e, z t, r, a, i, t d a, p, o, s, t, r, o, p, h, e u, n, i, o n m, o, i v, o, s c, o, o, r, d, o, n, n, e a, c, c, e, n, t a, i, g, u e, s e, t j, e v, o, u, s t e a, c, c, e, n, t a, i, g, u l e a, c, c, e, n, t a, i, g, u p, h, o, n, e d e a, c, c, e, n, t g, r, a, v e s q, u, e j a, p, o, s, t, r, o, p, h, e a, i r, e, t, r, a, c e a, c, c, e, n, t a, i, g, u l e l, i, v, r, e q, u, e v, o, u, s c, h, e, r, c, h, e, z p, o, i, n, t d a, p, o, s, t, r, o, p, h, e e, x, c, l, a, m, a, t, i, o, n

Exaspéré jusqu'au bout des poils, l'inspecteur Specteur braqua son .666 sur le visage du satanothécaire et fit feu à trente-six reprises. Puis il entama une jolie ritournelle :

— C'est un « M », un « E », un « R », c'est un « D » avec un « E » ! Rassemblez toutes ces lettres et vous trouverez « MERDE » !!!

Un « SILENCE ! » tonitruant retentit du fond de la satanothèque. Specteur n'en fit pas de cas et partit à la recherche de son bouquin. Il mit deux bonnes heures à le trouver. Épuisé, il s'attabla et commença à lire.

En ces temps-là, vivait, emprisonnée sur la façade d'un château, une gargouille qui ne s'amusait point. Elle rechignait constamment. Le jour, elle se plaignait du soleil qui lui brûlait les yeux et, la nuit, du froid qui lui glaçait le museau. Quand il pleuvait, l'eau des gouttières s'écoulait par sa bouche en un sifflement d'une grande mélancolie qui lui faisait espérer être frappée par la foudre et réduite en mille miettes. Sa tristesse et son ennui étaient d'une profondeur telle que ses yeux, jadis étanches, en étaient venus à couler presque autant que sa petite bouche tristounette.

Un jour que Satan jouait à la chauve-souris, il alla se percher sur une des cornes de la gargouille. Elle en profita pour se vider le cœur.

— Comme je t'envie, petite chauve-souris ! Tu n'es pas soudée à un mur, toi ! Tu peux te balader, toi ! Tu peux voir du pays, toi !

— Tu peux la fermer, toi ? ! ! répliqua Satan en lui chiant dans un œil.

La petite gargouille fut très, très déçue. Si bien que, sans qu'il y eût la moindre petite goutte de pluie, ses yeux se mirent à couler abondamment. Satan fut aussitôt pris d'une grande pitié pour la pauvre prisonnière du château.

— T'as pas bientôt fini de chialer, sale emmerdeuse ? s'écria-t-il. Si tu fermes pas ta grande gueule, je vais aller me percher sur une autre de tes semblables, moi !

— Non, je t'en prie ! implora la gargouille. Je ne t'importunerai plus, je le promets.

— Tu ne m'importunes pas, tu me fais chier ! D'abord, comment se fait-il que tu parles ? Après tout, tu n'es qu'un minable bloc de pierre auquel on a donné une forme affreuse !

— Je… je me demandais la même chose à ton sujet… Comment se fait-il que tu parles ?

La petite chauve-souris n'était pas très encline à dévoiler sa véritable identité au premier venu.

— Raconte d'abord ! suggéra-t-elle.

— Eh bien, confia la gargouille, je ne suis qu'un malheureux peintre à qui l'on a jeté un mauvais sort.

— Comment cela ?

— J'avais fait le portrait du Roi et la ressemblance était si parfaite qu'il a cru que je lui avais volé son visage. Il a donc ordonné à son sorcier de m'enfermer dans une gargouille pour l'éternité.

La chauve-souris satanique flaira là une bonne occasion d'acheter une âme toute neuve. Et si cette gargouille disait

106

vrai quant à ses talents de peintre, Satan pourrait la forcer à décorer l'Enfer de gigantesques toiles à son effigie.

— Que dirais-tu de recouvrer ta liberté ? De redevenir un homme ?

Si la gargouille avait pu tourner la tête et jeter un regard rempli d'espoir à la chauve-souris, elle l'aurait fait. Elle dut cependant se contenter de faire passer cet espoir par sa voix.

— Oooooh ! pleurnicha-t-elle, je serais prête à tout pour retrouver mon aspect normal !

— Vraiment tout ? demanda Satan.

— Vraiment tout, tout, tout ! répondit la gargouille, sans hésiter.

— Parfait ! Mais avant toute chose, sache qu'une fois libérée de cette sculpture, tu devras me rendre ton âme. D'accord ?

En guise de réponse, la gargouille émit une longue plainte.

— Que feras-tu de mon âme ? demanda-t-elle enfin.

— Je te l'échangerai contre le pouvoir de ton choix.

C'était là une offre alléchante. La gargouille eut soudain une drôle d'idée. Mais, pour la concrétiser, elle aurait besoin d'un pouvoir trop extravagant. Sa requête risquait donc de rebuter celui qui se proposait de la libérer. Aussi prit-elle un air désintéressé.

— Oh, je ne désire qu'un pouvoir très minime.

— Ah bon ? fit Satan, surpris. Lequel ?

— Eh bien, je veux avoir le pouvoir de faire disparaître les images que je peindrai et de les emprisonner sur mes toiles.

Un rugissement d'outre-tombe déchira la nuit et Satan reprit sa forme de gros cornu à sabots.

— Il n'en est pas question ! hurla-t-il. Je ne vais sûrement pas te donner la chance de faire disparaître tout ce qui te déplaît ! Et je n'ai pas particulièrement envie de me retrouver emprisonné dans une de tes toiles !

La voix de la gargouille se fit alors mielleuse comme celle d'une fillette devant un comptoir de crème glacée.

— Loin de moi l'idée de m'en prendre à mon sauveteur. Si j'avais su que vous n'étiez nul autre que Satan, le Roi des Ténèbres, jamais je n'aurais osé faire une telle requête !

Les cornes du Diable se ramollirent un peu.

— Va ! dit-il. Je te laisse une deuxième chance. Mais ne me déçois surtout pas si tu tiens toujours à ce qui reste de ta misérable existence !

Le ton ferme de Satan ne laissait place à aucune maladresse. La gargouille joua donc les accommodantes.

— Dans ce cas, supplia-t-elle, vous n'avez qu'à limiter l'étendue de mon pouvoir à un seul tableau. Une seule toile… C'est tout ce que je demande.

Cette modeste exigence mit la puce à l'oreille du Diable.

— Tu veux te venger en peignant le portrait du Roi à nouveau, c'est ça ?

— C'est ça…

Satan hésita un bon moment. Car c'était un pouvoir complexe. Non pas à offrir, mais plutôt à supprimer, à invalider par la suite. Cette demande ne lui plaisait guère. Elle impliquait qu'il accorde sa confiance à la gargouille jusqu'à ce qu'elle accepte de renoncer à son pouvoir, volontairement. D'un autre côté, Satan ayant deux disciples à l'intérieur des murs du château, il lui serait relativement simple de surveiller le peintre et de le rapatrier une fois le portrait du Roi terminé. Ensuite, il lui suffirait de l'emprisonner. Il pourrait alors reprendre son pouvoir et l'artiste serait à sa merci [1]. À la limite, il n'avait qu'à se saisir des instruments du peintre pour l'empêcher de faire des bêtises dans sa geôle. Après tout, il fallait bien des pinceaux, de la peinture, un sujet fixe ou un paysage et pas mal de temps pour peindre une toile ! Il décida donc de prendre le risque. Aucune âme ne méritait qu'on lui crache dessus.

— Marché conclu ! lança Satan.

Un cri de joie intense jaillit du fond de la gargouille. Satan calma cependant ses ardeurs en brandissant un long doigt menaçant.

— Pas si vite ! s'exclama-t-il. Une fois libérée, tu devras immédiatement me céder ton âme en signant, de ton propre sang, le contrat que voici.

---

1. De rien.

Un corbeau, noir comme la mort, vint se poser sur l'épaule du Démon. Il tenait, en son bec, un rouleau de parchemin. La gargouille n'émit pas le moindre son et déglutit à peine. Satan en conclut qu'elle était prête.

Les bras écartés, comme s'il voulait mesurer l'étendue de sa force, le Roi des Ténèbres gonfla ses poumons et déclama quelques formules magiques aux sonorités éraillées. On aurait cru entendre un chanteur de fado passant sous le fouet.

L'incantation terminée, Satan tint sa gueule grande ouverte et souffla. D'une longue langue de feu, il lécha la gargouille. Un nuage de fumée rouge en jaillit presque aussitôt et s'étira jusqu'au sol. La fumée prit lentement forme humaine et Satan vit apparaître, sous ses yeux, un lourdaud aux cheveux bruns drus et au visage rustre qui avait davantage l'air d'un pitbull que d'un peintre. Il fut un peu déçu. Avec toutes les mines patibulaires qu'il comptait parmi les siens, une bouille de gentleman eût été la bienvenue. Enfin, il devait se contenter de ce qu'il avait sous le nez.

Satan enfonça alors un ongle dans le foie de son futur suppôt et récolta le sang nécessaire à la signature du contrat. Étonnamment, le peintre ne réagit pas du tout.

— Bon ! fit le Diable, surpris par autant de calme, tu as bien un nom, non ?

— Je préfère l'oublier.

— Dans ce cas, pas de temps à perdre, je te baptise « Gargouille ». Ça te va ?

— Ça me va.

— Passons maintenant aux choses essentielles. D'abord et avant tout, j'exige que tu ne sois jamais seul tant et aussi longtemps que tu n'auras pas mené ton projet à terme et que tu ne m'auras pas rendu ton pouvoir.

— Entendu.

— En foi de quoi et à l'encre de ton foie, nous avons signé ce pacte qui nous unit pour l'éternité. Rien de plus, rien de moins.

Le corbeau déroula le parchemin et le tint sous le nez de Gargouille. Satan lui tendit une main pleine de sang. Il arracha une plume au cul du corbeau et invita le peintre à signer sa première œuvre. Gargouille s'exécuta sans broncher.

— C'est exactement de cette façon que se concrétisera ta vengeance...

— Qu'est-ce que vous voulez dire ?

— Tant et aussi longtemps que tu n'auras pas signé ta toile, tu n'auras pas emprisonné sa représentation.

— D'accord.

— Quand ce sera fait, tu devras peindre ton propre portrait en te servant d'un miroir. Une fois la toile signée, ton pouvoir disparaîtra.

— Très bien.

— Si, par malheur, tu essayais de te défiler, je me verrais dans l'obligation de t'enfermer à jamais et de te priver de ton art. Compris ?

— Compris.

— Tant mieux ! Sinon je me serais vu dans l'obligation de te traiter d'imbécile.

Tout était parfait. Ne manquait plus qu'un détail. Satan s'en occupa aussitôt.

— Rica ! Pravda ! cria-t-il. Amenez-vous !

Deux félines, longues comme des soupirs de jeunes vierges, atterrirent de chaque côté de Gargouille. Encore une fois, il n'eut aucune réaction. Pourtant, ces deux femmes représentaient la plus grande fierté de l'Enfer. Rica malmenait la laideur, l'inesthétique. Elle avait la finesse et la grâce du guépard. Pravda, elle, faisait la vie dure à la gravité. L'agilité et la souplesse du couguar l'habitaient. Ces deux chefs-d'œuvre donnaient sa raison d'être au mot « loyauté ».

— Voici celles qui vont veiller à ce qu'il n'y ait aucune dérogation à notre contrat. Chacune est plus forte et plus habile que dix colosses réunis.

Rica et Pravda firent une démonstration de leur force. En un synchronisme parfait, tels deux moustiques à la brunante, elles firent une cinquantaine de vrilles, de sauts et de saltos autour des oreilles de Gargouille. Chacun de leurs mouve-

ments se terminait par une prise de Makura Kesa Gatame, *de* Kami Shiho Gatame *ou de* Ude Hishigi Waki Gatame. *Prises d'immobilisation totale qui laissaient à peine la possibilité de cligner des yeux.*

— Tu as donc le choix, ironisa Satan. Tu sais te tenir ou elles sauront te retenir.

La suite des événements démontra que Satan avait conclu la pire transaction de toute son existence. Pour la simple raison que ce Gargouille était un mage. Par conséquent, Satan lui avait non pas octroyé un pouvoir, mais avait plutôt doublé les forces d'un pouvoir déjà existant.

On ne se rendit compte du terrible de la chose que le jour où Gargouille rencontra enfin le Roi. Sa Majesté accueillit avec beaucoup de respect et tout autant de crainte cet homme qui avait réussi, contre toute attente, à s'échapper de sa gargouille. Mais le gredin sut si bien l'endormir en lui promettant réparation de ses fautes qu'elle l'autorisa à renouer avec son art en acceptant à nouveau de poser pour lui. À tort, puisque quand le peintre signa son portrait, non seulement la tête de Sa Majesté fut emprisonnée dans la toile, mais l'espace physique qu'elle occupait disparut, laissant derrière lui un trou noir, hors de toute temporalité.

Naturellement, Gargouille refusa par la suite de renoncer à son pouvoir. Satan le fit donc enfermer et l'affligea d'une parure qui l'empêcherait, en cas d'évasion, de passer inaperçu. La tête de Gargouille fut traversée, de haut en bas, par un cercle de métal, une espèce de scie ronde. Une auréole verticale en acier qui séparait sa boîte crânienne en deux, isolant chacun de ses yeux à jamais.

Depuis ce jour, Gargouille portait la cagoule…

« Ça alors…, songea Specteur. Voilà qui explique le cas du chien et celui d'Adèle. Et si c'est le même type qui s'est enfui après avoir fait mon portrait, je suis passé à deux cheveux de perdre la face. »

Une idée vint soudain gonfler son cœur d'enthousiasme.

« Par contre, se dit-il, si j'arrive à mettre la main sur ce Gargouille, je peux peut-être retrouver ma petite Zelle ! Et je peux même faire plaisir à mon patron en réglant le sort de l'humanité une fois pour toutes… »

DIX-SEPT

La messe se déroulait très mal. Le curé Ré avait une vilaine érection. Vilaine, vilaine, vilaine. Depuis presque trois jours. Ça se voyait. Enfin, c'est ce qu'il croyait. Et la communion qui arrivait… Derrière l'autel, il n'avait rien à craindre. Personne ne remarquait qu'il avait l'air de cacher un canon sous sa soutane. Devant les communiants, ce serait autre chose. Il allait, malgré lui, pointer un ciel plutôt invitant à ses fidèles. Ré n'avait cependant pas le choix : il lui fallait nourrir ses brebis. Il marcha donc, arc-bouté, courbé, cambré, jusqu'à sa première bouche offerte.

Les langues s'étendirent, humides, chaudes, suintantes, véritables plages de chair, mouillant de désir devant l'offrande. Le curé sentit son crucifix se tendre à l'extrême. Il n'aurait pas fallu qu'on le frôle, même à peine, car il aurait sûrement éclaboussé le premier venu [1].

— Le corps du Christ.
— Amen.
— Le corps du Christ.
— Amen.
— Le corps du Christ.
— Amen.

---

1. Bénédiction oblige.

— Bon, ça va, c'est terminé ! grommela Ré dont le bas-ventre goûtait les démangeaisons de la lubricité. Regagnez vos bancs, c'est terminé !

Une dizaine de suceurs d'hosties n'avaient pas eu leur nanan. Ils s'insurgèrent, revendiquant leur droit à la nourriture spirituelle et à leur part de dîme. Ré ne se laissa pas démonter. Il prit une grosse poignée d'hosties, la mit entre les mains d'une chipie en tête de file et retourna derrière son autel.

Il débita le reste de la cérémonie religieuse à la manière d'un encanteur. On fit les génuflexions, signes de croix et marmonnements comme dans un film en accéléré. À la fin, les fidèles mécontents sortirent en maugréant, mais en rangs.

Enfin seul dans la sacristie, le curé Ré multipliait les angoisses. Comment réagir face à un tel essor de libido ? Bien entendu, il n'aurait eu qu'à se faire couler le cierge, mais il voulait éviter d'avoir recours à cette méthode qui l'obligerait à faire brûler trente millions de lampions en mémoire d'un génocide manuel.

Depuis qu'il avait été ordonné prêtre, Ré avait résisté à l'onanisme. Les éjaculations nocturnes se chargeaient de le libérer de temps à autre. Il n'allait, cependant, pas pouvoir passer une semaine dans cet état sans finir par se prêter main-forte.

Le piteux Ré tournait en rond. Il croyait qu'il serait plus facile de trouver une solution entre les murs de son église. Pourtant, rien ne l'éclairait. Il souffrait le martyre et personne ne semblait vouloir le délivrer du mal. Amen. Son calvaire allait en empirant. Quand il s'effleurait le péché par mégarde, il connaissait des pointes d'excitation aiguës excessivement graves.

Une lueur lui traversa soudain le capuchon. Il comprit ce qui lui arrivait : Dieu le mettait à l'épreuve parce qu'il avait frappé un prêtre ! Voilà ! Il avait la réponse ! Ne restait plus qu'à trouver un moyen de conjurer le sort.

Avec la religion catholique, rien de plus facile. Ré n'avait qu'à se confesser. Quand il se demanda à qui il pourrait bien confier ce péché turgescent qu'il s'apprêtait à enfermer dans un mouchoir, il pensa tout de suite au prêtre qu'il avait tabassé. Il aurait, du même coup, l'absolution de la victime et celle de Dieu. Ré se félicita, pendant un moment, d'être un génie mais un élancement soudain lui rappela qu'il avait besoin d'un coup de main.

Avant de faire sortir l'oiseau impie, Ré eut une deuxième idée brillante. S'il se soulageait au moment même de la confession, le péché aurait à peine le temps de voir le jour qu'il serait déjà pardonné et, de ce fait, considérablement diminué. « Quel raisonnement digne de mention ! songea-t-il. On devrait me faire pape ! » Décidément, c'était sa journée de solutions lumineuses.

Sans plus tarder, il téléphona à Rêtre, le prêtre au beurre noir. La conversation fut courte, intense, pleine de coups de gueule, mais comme un ecclésiastique pardonne toujours à ceux qui l'ont offensé, sauf à ceux qui l'ont trop sérieusement offensé, il se pointa en moins d'un quart d'heure.

Rêtre ne tenait pas vraiment à se lier d'amitié avec Ré. Aussi le pria-t-il de gagner le confessionnal illico. Une fois entre les quatre petits murs, le confesseur emprunta un ton à la tragédie grecque et demanda au confessé de lui dire ses péchés. Naturellement, Ré commença par citer l'incident du cimetière. Croyant qu'il avait terminé, ce salaud de Rêtre lui colla une douzaine de « Je vous salue Marie » et quarante-cinq « Notre Père » ! ! ! De quoi abîmer sérieusement des cordes vocales ! Ré se retint de ne pas lui en mettre une autre dans la gueule. Il préféra supplier Rêtre d'attendre encore un peu, car il avait un autre péché plus grave à confesser. Bien à contrecœur, Rêtre reposa ses saintes fesses pendant que Ré commençait déjà à battre la cadence. Le confesseur l'invita à se vider le cœur. Malheureusement, ce n'est pas le cœur qui se vida en premier. Quelle ne fut pas la surprise de Rêtre quand il reçut un premier jet de libido bénite à travers le grillage ! Il crut d'abord à un postillon, mais quand il se pencha un peu pour voir ce qui se passait de l'autre côté, il faillit mourir de rage. Ré était là, bénitier en main, tentant en vain de justifier son geste. Mais c'était peine perdue. En s'essuyant du rebord de sa soutane, Rêtre signala au gicleur que ses jours, en tant que prêtre, étaient comptés et qu'il s'en allait, de ce pas, signaler cet immense écart de conduite aux autorités religieuses.

Il y a de ces jours comme ça.

DIX-HUIT

Specteur pénétra dans le commissariat et se dirigea vers la salle de réunion. Il avait rendez-vous avec Mandant, Leplacs et Decin. Il ne put s'empêcher, cependant, de faire un arrêt devant le bureau de Crétaire. Elle avait vraiment pris du chien. Du style traditionnel de secrétaire de bureau, elle était passée au style « dévergondée à tendances sados ».

— Ciel ! mon inspecteur favori !

D'un seul bond, elle fut dans ses bras et Spec eut droit à une série interminable de bisous un peu partout sur le visage.

— J'espère, ironisa-t-il, que le commandant Mandant ne sera jamais aussi heureux de me voir. Sinon je risque fort de me retrouver avec un centimètre de sébum sur la peau.

Crétaire n'entendit même pas la blague. Elle n'avait qu'une idée en tête : montrer l'influence qu'avait eue le discours de l'inspecteur Specteur sur sa personne. Elle tourna sur elle-même, faisant voler son blouson de cuir, et ouvrit les bras de manière à mettre la nouvelle Crétaire bien en évidence.

— Oh là là ! fit Spec. Vous vous préparez à joindre les rangs d'une bande de motards ou quoi ?

— Vous n'y êtes pas du tout, inspecteur ! Il s'agit plutôt de mon nouveau costume de scène.

— De scène ? Vous vous êtes mise au théâtre ?

— Mais noooooon ! lança-t-elle, tout enjouée. Je suis musicienne ! L'auriez-vous oublié ?

— C'est vrai ! Alors, vous voulez former un groupe ?

— C'est déjà fait ! ! !

— Et quel type de musique comptez-vous attaquer ?

— Eh bien, j'ai une formation plutôt classique, mais j'ai toujours eu un penchant pour la musique sale.

— La musique sale ?

— Mais oui ! La musique qui semble venir directement de l'Enfer, tellement elle est audacieuse !

La petite lui plaisait plus que jamais.

— Qui sont vos acolytes ?

— Nous sommes cinq. Des anciens camarades de classe. Une basse, une guitare, une batterie, un synthé qui vous génère des sons pas possibles et, finalement, moi-même au violon et à la voix !

— C'est extraordinaire ! s'écria Specteur qui ne pouvait qu'applaudir à une telle initiative.

— Seulement, nous avons un problème…, confia Crétaire avec une moue déçue.

— De quel ordre ?

— Nous n'avons pas de textes valables.

— Rien de plus simple, dit Spec. Je vous fournirai au moins un texte !

— Oh ! merveilleux !

— Mais je vous préviens ! Il va sérieusement donner dans le satanique. Très sérieusement.

Crétaire éclata de joie.

— Fantastique ! J'ai toujours eu un faible pour tout ce qui touche Satan !

— J'avais bien cru remarquer…, marmonna Spec pour lui-même.

— Quand pouvez-vous nous le refiler ?

Spec pinça les lèvres et réfléchit.

— Donnez-moi un jour ou deux, dit-il, et vous aurez un texte d'une belle noirceur.

— Marché conclu ! s'exclama Crétaire en redonnant du bisou à Specteur.

— Parfait ! Parfait !

Tout le monde était content. Spec put reprendre du service.

— Les autres sont arrivés ?

— Ah non… Mais ils ont laissé un message. Ils vous attendent à la morgue.

— À la morgue ? Merde ! Qu'est-ce qui se passe, encore ? ! !

Specteur quitta le commissariat en vitesse et poussa sa Renault 5 à fond. En cours de route, il se dit que ce serait bien d'avoir un gyrophare portatif. Ne serait-ce que pour arriver à la Taverne Occulte un peu plus rapidement quand la soif lui mordait les veines.

Les deux vespas et la Peugeot dormaient devant la morgue. « Qu'est-ce qu'ils foutent ici ? se demanda Specteur. Mandant et Leplacs avaient peut-être un petit goût de viande froide. Mais Decin ? Qu'est-ce qu'il peut bien faire là ? Aux côtés de Leplacs qu'il jalouse ? »

À l'intérieur, Spec fut accueilli par un gardien à moitié endormi.

— Bonjour, inspecteur, marmonna-t-il sans prendre la peine d'ouvrir un œil, ils vous attendent dans la salle numéro 22.

— Ne vous dérangez pas, fit Spec, je connais le chemin.

— Re megnef mpfe feeeeee…

— Pardon ?

Le gardien ronflait déjà.

En approchant de la salle 22, Spec entendit gueuler. C'était la voix de Leplacs. Quand il entra, elle avait le bras en l'air et hurlait à en réveiller les pensionnaires. Decin encaissait en souriant.

— C'est pas vous qui allez m'apprendre mon métier ! cria Leplacs.

— Sûrement pas..., acquiesça timidement Mandant.

— Et si vous êtes pas content, fallait vous pointer à l'église dès le début !

— Voilà...

— Maintenant, foutez-moi la paix avec vos histoires d'autopsie à la légère et de dissection à la va-comme-j'te-coupe !

— Foutez-lui la paix, bon...

Les mains dans les poches de son trench noir, l'inspecteur Specteur avait observé la scène, sourire en coin. Les esprits s'étant enfin calmés, il prit la parole.

— Qu'est-ce qui se passe ici, pour l'amour du sexe ?

— C'est lui qui a commencé ! dénonça Mandant en montrant Decin. Il a dit que le docteur Leplacs ne savait pas faire une autopsie convenablement.

— C'est de la misogynie ! s'insurgea Leplacs.

Specteur lança un regard à son ami, l'invitant à s'expliquer.

— J'ai examiné le cadavre du prêtre, avoua Decin, et j'ai une bonne raison de croire que le docteur Leplacs n'a pas bien fait son travail.

— Toi ? fit Spec, surpris. Toi, tu as examiné le cadavre du prêtre ?

— Oui, dit Decin, de ce prêtre dont l'âme est depuis longtemps partie pour le paradis et qui n'est plus maintenant qu'une masse de chair sans vie, sans religion, sans...

— Ça va, coupa Spec, j'ai compris.

— Je vous montre donc ce que j'ai découvert.

Decin tira sur la poignée du casier où gisait le corps et le fit coulisser. Leplacs croisa les bras et tourna le dos.

— Approchez-vous, suggéra Decin en enfilant une paire de gants. Ce que j'ai à vous montrer est infiniment subtil.

Mandant et Specteur firent un pas en avant tandis que Leplacs continuait à bouder dans son coin. Decin attira l'attention de ses collègues sur une incision à l'abdomen qu'avait pratiquée le docteur Leplacs au cours de son autopsie. Il écarta les lèvres de la plaie, qui avaient pris pas mal de rigidité, et passa une main sous le cuir. Malgré les explications qu'avait fournies Decin un peu plus tôt, Spec fut renversé de constater qu'il ne prenait pas feu.

— Maintenant, regardez attentivement…, dit le médecin.

De l'intérieur de l'abdomen, il poussa sur le nombril pour le faire saillir.

— Vous voyez ? C'est là que le voleur de veines a fait son incision. C'est l'endroit le plus sûr pour cacher des cicatrices.

Penchés sur le nombril du prêtre, Mandant et Specteur ne purent qu'approuver la théorie de Decin. Furieuse, mais surtout curieuse, Leplacs se pencha, à son tour, sur le mini-cratère. Elle ne semblait toujours pas convaincue.

— Qu'est-ce qui vous dit qu'il ne s'agit pas là d'une blessure de jeunesse, tout simplement ?

— Ceci.

Au bout d'une pince, Decin tenait un tout petit fil de suture.

DIX-NEUF

La terrasse Crâne du Grand Nain offrait le plus beau panorama qui existât depuis que l'homme avait des yeux. Alexandre le Petit, dit le Grand Nain, étant complètement chauve, l'aménagement de cette céleste terrasse qui surplombait la ville n'en avait été que grandement facilité. Sa forme légèrement bombée — crâne oblige — lui donnait un charme et un aspect uniques.

Tout autour du crâne, une imposante couronne de laurier en fer forgé faisait office de clôture et témoignait de l'ultime victoire du Grand Nain au moment de la libération de la Friande. Qu'on s'y appuie pour voir le nord, le sud, l'est ou l'ouest, on ne pouvait que sacrer Capit plus belle ville de la planète Nète. Ses buildings grandioses, aux formes arrondies ou angulaires, aux bases plus étroites que les faîtes, aux bordures dentelées ou ondulées, étaient un orgasme pour les yeux. Les architectes capitois et capitoises avaient, sans contredit, atteint le point G de l'art visuel.

Dilleux Lepaire et son bras droit, Ineg — un génie de la génétique —, s'installèrent à la plus belle table de la plus belle terrasse du monde.

— Alors, Ineg…, dit Dilleux, à quoi doit-on s'attendre ?

Le généticien tira une langue d'au moins quinze centimètres et happa une mouche. Son long visage émacié s'étira encore davantage pendant qu'il mâchouillait l'insecte.

— Ces gènes de batraciens vous vont à ravir, cher Ineg. Mais j'aimerais bien que vous me rassuriez sur le sujet qui me préoccupe au lieu de vous laisser aller à vos instincts d'insectivore.

Ineg avala sa proie et rassura Dilleux :

— Les tests effectués sur Érutrot sont concluants. La bactérie évolutive a réagi comme prévu. Et le transfert des veines était impeccable. Selon mes prédictions, le curé devrait être le porteur idéal. Excellente libido, capacité d'abstinence très prolongée, système immunitaire efficace, agressivité et grand désir de vivre. Il n'y a pas de raison de s'inquiéter. Les résultats sont aussi sûrs qu'il fera nuit à un moment donné.

Frottant ses mains l'une contre l'autre, Dilleux savoura sa future réussite.

— Bien, murmura-t-il. Très bien. Vous pouvez maintenant disposer, Ineg.

D'un coup sec de la tête, Ineg fit craquer les os de son cou et se leva.

— Dois-je me plonger en coma artificiel, Monsieur ?

— Non, pas tout de suite. J'ai encore besoin de vous. Je veux que vous gardiez un œil discret sur cette infirmière... Un informateur m'a appris qu'elle travaillerait peut-être à la solde de l'inspecteur Specteur. Il les a vus discuter. Elle risque de découvrir quelque chose au sujet de la signature.

— Je ne pouvais pas savoir, Monsieur, que le docteur Sapért était mort depuis peu...

— Je ne vous fais aucun reproche, Ineg. Je vous demande seulement de surveiller cette fille.

— Très bien, Monsieur.

Ineg tourna le dos, et sa fine silhouette siffla au vent jusqu'à la sortie.

Dilleux avait un autre rendez-vous sur la terrasse. Mais il disposait d'au moins vingt minutes avant que son invité ne se pointe. Pendant qu'il patientait, il décida de se distraire un peu. Il commença par s'avancer jusqu'à la couronne, côté sud. De là, il pouvait voir les minuscules voitures se faufiler à travers les milliers de rues, boulevards et avenues de Capit. Dilleux pointa un index mesquin vers l'intersection de deux boulevards à voies rapides et provoqua ainsi un sanglant carambolage. Du haut de la terrasse, le spectacle fut divin. Loin d'être rassasié par ce coup fumant, il chercha une autre cible où faire tomber sa fatalité. Un édifice à logements trônait sur sa gauche. Dilleux le fixa intensément et y déclencha un incendie. Par les fenêtres, de longues queues orangées ne tardèrent pas à jaillir, flattant les murs d'une chaleur dévastatrice. Dilleux regarda les gens sortir de l'édifice en flammes comme des fourmis d'une fourmilière boucanée, et se souvint qu'il était infiniment bon et infiniment aimable. Un peu las, il regagna enfin sa table et, chemin faisant, distribua quelques maladies mortelles, ici et là.

C'était ce qu'il appelait « tuer le temps ».

Une fois rassis, Dilleux consulta sa montre. Celui qu'il attendait était en retard, ce qui le mit un peu en rogne. Il se défoula sur un garçon de table chez qui il provoqua un infarctus. Cela fut juste et bon. De plus en plus impatient, il s'apprêtait à déclencher une épidémie de choléra quand son invité arriva. Le retardataire se prosterna et baisa le talon de Dilleux.

— Je vous attends depuis déjà dix minutes, cher disciple.

— J'en suis conscient et je prie Son Excellence de m'excuser. Mais un carambolage inattendu a forcé mon chauffeur à faire un vilain détour.

— Ça va… Au moins, vous êtes en vie. C'est l'essentiel.

— Par la grandissime générosité de Son Excellence, oui. Et je l'en remercie.

— Alors ? Quoi de neuf ?

— Son Excellence ne le croira peut-être pas, mais nous serons prêts dans les délais exigés.

— Allons, allons, mais qu'est-ce qui a bien pu vous faire croire que je doutais de vous ?

— C'est que, moi-même, je doutais de la possibilité de concrétiser un tel projet en si peu de temps.

— Écoutez, mon cher. J'ai un contrôle absolu sur la vie de mes sujets et sur la nature. C'est tout. Je n'ai d'emprise sur rien d'autre. Il est donc normal que je fasse appel à des gens qui ont un certain contrôle sur le fatras matérialiste qui règne sur cette planète afin de mener mes projets à terme. Et puisque nous sommes dans une ère où les techniques aérospatiales sont suffisamment maîtrisées, je n'avais aucune raison de douter de quoi ou de qui que ce soit.

— Tant mieux. Et que Son Excellence sache que je lui serai éternellement reconnaissant de sa magnanimité et de sa grandeur d'âme.

— C'est la même chose.

— Pardon ?

— Ça veut dire la même chose.

— Ah !... Dans ce cas, que Son Excellence daigne bien vouloir pardonner les carences de vocabulaire de son serviteur.

— Ça va, ça va... Est-ce que tous ceux qui doivent monter à bord de la navette ont été avisés ?

— Oui, Excellence. Tous, sans exception.

— Et comment ont-ils réagi ?

— Sa Sainteté le Pape a été le plus difficile à convaincre. Il a tout d'abord cru à un coup monté...

— Le brave homme...

— Mais dès que j'ai eu guéri son cancer grâce au pouvoir que Son Excellence m'avait permis d'utiliser en dernier recours, il s'est aussitôt rallié à l'idée.

— Parfait ! Et les autres ?

— Les cinquante membres du clergé que Son Excellence a sélectionnés seront là, en temps et lieu.

— Bien. Et le curé Ré ?

— Il semble ne se douter de rien. Selon mes informateurs, il est bouleversé par de récents événements, mais je ne crois pas que cela affecte le plan de Son Excellence.

— Parfait. Je vous autorise maintenant à aller vous reposer en attendant le grand départ.

— Excellent, Excellence.

Et l'évêque de Capit se prosterna à nouveau pour baiser le talon de Dilleux. Il l'ignorait encore mais, dans les jours qui allaient suivre, il mourrait d'une hépatite de type B.

Dilleux était un type bien.

VINGT

Le tribunal des hautes instances du clergé de la Friande somme monsieur Ré, prêtre du district Ouest de Capit, de se présenter devant ses pairs pour être jugé, ce lundi vingt-trois juillet de l'an deux mille un à treize heures précises.

Ce joli texte froissé au fond de sa poche, Ré se retrouva en état de disgrâce devant le tribunal. Son procès ne dura que deux heures. Deux heures qui lui parurent durer deux jours. Deux heures à devoir subir les regards austères et accusateurs des juges, à se faire traiter comme un enfant, une merde, une sous-morve. Deux heures à se faire pointer du doigt, à se faire jeter la première, la deuxième et la troisième pierre. On voulait absolument jeter l'anathème sur lui.

Ces juges, qui se prenaient pour le Créateur, qui disaient parler en son nom, n'entendaient nullement respecter sa règle première : le pardon.

Le sort de Ré était donc connu d'avance.

À la lecture de la déposition du prêtre Rêtre, les réactions des juges furent identiques : profondément hypocrites. Aux mentions « coups et blessures », « voie de fait », « profanation d'obsèques », on secoua la tête et, d'un peu partout, sifflèrent les « tss-tss » de réprimande. Quand les mots « confessionnal », « masturbation », « éjaculé » et « visage » furent prononcés, ce fut l'indignation totale. Certains juges se signèrent, scandalisés, alors que d'autres lorgnèrent Ré avec concupiscence.

La goutte qui fit déborder le vase ne fut, cependant, pas celle que Rêtre avait reçue, le jour de l'incident, dans le confessionnal. Elle vint plutôt d'un témoin-surprise que Ré eût pu reconnaître n'importe où, les doigts dans le nez : son ancien fournisseur de cocaïne. Ré ignorait comment on avait pu le retracer mais, chose certaine, il avait dû être payé très cher pour se trouver là, car ce type ne faisait jamais rien pour rien.

Sans doute, aussi, le farinier en voulait-il au curé Ré de ne plus faire affaire avec lui. Ne sachant pas que son client avait arrêté de consommer, il croyait probablement s'être fait damer le pion par un compétiteur bon marché. Ce témoignage représentait donc une bonne façon de se venger. Curieusement, Ré n'avait jamais su comment il s'appelait. « Il en est peut-être mieux ainsi », songea-t-il.

Le revendeur déclara, sous serment (comme s'il était croyant), avoir vendu à Ré, en moyenne, de dix à quinze grammes de cocaïne par semaine, et ce pendant plus de trois ans. Ré ne se rappelait pas avoir consommé autant, mais songea que, si ce que disait son ex-fournisseur était vrai, il avait fichtrement bien fait d'arrêter. Car tout brut à huit, ses condoléances aplatissaient de siège en cravate[1].

À la suite de ces témoignages, les juges le disputèrent, le sermonnèrent et ruminèrent les mêmes passages de l'Évangile pendant près d'une demi-heure. Jamais Ré ne s'était senti aussi seul, répudié, méprisé. Il choisit donc de s'enfermer dans sa tête, le temps que passent les remontrances. Il n'y trouva qu'un calme relatif, car il n'était pas vraiment en paix avec lui-même. Mais cela valait mille fois le verbiage de ces messieurs les juges qui glissait peu à peu vers l'arrogance et le dédain.

---

1. Je ferais bien d'arrêter, moi aussi.

Les toges finirent par se retirer pour délibérer, laissant enfin Ré retrouver ses esprits et songer à ce qui l'attendait. Le pauvre ne se faisait pas d'illusions. Le verdict ne serait sûrement pas en sa faveur. Et s'il l'était, Ré serait sûrement mis sous surveillance par la police de l'Église pour le reste de ses jours. Ce qui ne valait guère mieux. Enfin… Il s'en remit à la grâce de n'importe qui, sauf de Dieu.

Comme Ré s'y attendait, la délibération — qu'il avait affectueusement baptisée la « débilération » — ne dura que quelques minutes. Les juges réapparurent, l'air grave, et se réinstallèrent derrière leur table en toussotant. Le juge en chef, un grand mince aux épaules trop pointues, déclara solennellement qu'à l'unanimité, le curé Ré avait été déclaré coupable d'hérésie et que, par conséquent, il devait être excommunié illico, au nom de notre très sainte mère l'Église catholique.

Ré ne versa pas une larme. Mais il se promit de se verser un kil de rouge une fois sorti de ce foutoir.

On le pria poliment de rendre sa soutane sur-le-champ et les clés du presbytère avant le lendemain, minuit. Il ne devait pas s'en faire, toutefois, car on allait lui verser une compensation financière qui lui permettrait de survivre pendant un an, le temps qu'il se trouve un travail. Alléluia.

Il alla donc en paix.

Dehors, Ré se sentit parfaitement anonyme. Il y avait une éternité qu'il n'avait pas porté de jeans. En d'autre temps, il eût apprécié cette tenue vestimentaire, mais, aujourd'hui, cela l'incommodait énormément. Non pas à cause des trente degrés qui régnaient à l'extérieur. Mais plutôt parce qu'il n'avait toujours pas réglé ce foutu problème d'érection.

VINGT ET UN

Monsieur Eliuh vit entrer son client et eut pitié de lui. Que n'exigeait-on des moines qu'ils demeurent cloîtrés toute leur vie ? En tout cas, celui-là fuguait sûrement pour la première fois, puisqu'il marchait pratiquement avec la tête entre les deux jambes. Et comme si ce n'était pas assez, il tenait fermé, d'une main crispée, le devant de son capuchon de façon à cacher totalement son visage. « Pour la transparence, on repassera », songea Eliuh. Le moine avança jusqu'au comptoir avec précaution. Monsieur Eliuh se foutait bien que ce fût un fugueur ou non. Il était là pour vendre et il allait vendre.

— Bonjour, monsieur ! Comment puis-je vous aider ?

— Bonjour, mon frère. Je veux une toile de deux mètres sur un mètre, un chevalet, un ensemble de couleurs primaires et un assortiment de pinceaux de la meilleure qualité, s'il vous plaît.

Ce moine savait où il s'en allait. C'était clair. Eliuh disparut dans l'arrière-boutique et revint avec le matériel.

— Vous êtes de quel monastère, cher monsieur ?

— De… du monastère… d'un monastère de banlieue que vous ne connaissez pas, mon frère…

— Ah bon ?

— Combien vous dois-je ?

— Je connais pourtant très bien la banlieue !

133

— Il est davantage dans la campagne qu'en banlieue, mon frère.

— Eh ben, dans ce cas, je…

— Combien vous dois-je ?

Encore un artiste impatient et renfrogné. Eliuh n'a-
vait jamais la chance de tenir une conversation de plus
de trente secondes avec ces satanés egos. Il se résigna et
se mit à pianoter sur sa caisse en se disant que cette
vente lui permettrait au moins de se payer cinq ou six
pressions le soir à la terrasse du coin.

— Trois cent soixante-dix-sept friands, monsieur.

Le moine paya avec un billet de mille friands qu'il
avait lui-même contrefait à la main avec ce qui lui restait
de peinture. Un travail acharné de plus d'une semaine.
Eliuh n'y vit que du feu.

Dehors, Gargouille pressa le pas car sa cagoule le
faisait mourir de chaleur. Le mont Ont était droit devant.
Pour s'y rendre, il lui fallut d'abord traverser Capit et,
une fois à l'extérieur de la ville, marcher encore au
moins cinq kilomètres. Tout cela pour n'arriver qu'au
pied de la montagne. Il était hors de question d'utiliser
les transports en commun. Gargouille ne voulait prendre
aucun risque et tenait à rester totalement seul. De toute
façon, il n'avait rien à dire et tout à faire.

Le mont Ont avait deux mille huit cent soixante-
huit mètres de hauteur. La végétation y était assez dense,
ce qui rendait son ascension encore plus difficile. Son
sommet ne se donnait pas au premier venu. On devait le
gagner à la sueur de son front et aux ampoules de ses
pieds. De sentiers, aucun. De plateaux, aucun. De des-
centes, aucune. D'escarpements, énormément. Inspiration, expiration, branche au visage, chute, piqûre d'insecte, redressement, sueur dans les yeux, inspiration…
Un petit pas pour l'homme, un grand pas pour l'humi-
lité. Le périple était presque inhumain. Un vieil adage
disait même : *Qui gagne le sommet du mont Ont, gagne l'estime de la lune.*

Gargouille mit toute la journée à vaincre la montagne, tellement il était décidé. Une fois au sommet, il se jeta sur le dos et dormit pendant quinze heures, sans rêve, sans cauchemar, sans connaissance.

À son réveil, le soleil était au zénith. Gargouille se leva et retira sa cagoule. Les rayons frappèrent le cercle d'acier qui lui traversait le crâne et s'y réfléchirent, formant une sorte de halo qui semblait lui conférer un pouvoir absolu. Il déplia son chevalet et y déposa sa toile. Devant lui s'étendait un des paysages les plus pittoresques. Gargouille allait peindre le chef-d'œuvre de sa vie. Il allait peindre Capit.

VINGT-DEUX

Cet environnement, dans lequel il avait vécu pendant toutes ces années, lui faisait horreur. Ré avait toujours détesté ces murs gris, cette grosse table brune, faussement antique, cette bibliothèque bourgogne, pleine de livres poussiéreux et ennuyeux.

En fait, le presbytère au grand complet était aménagé et décoré de façon à refléter le vœu de pauvreté. Les lampes étaient vieillottes et de mauvais goût. Les rideaux, ternes et ornés de fleurettes insignifiantes. Les chambres à coucher étaient sombres, les lits, étroits, les matelas sentaient la moisissure, les sommiers crissaient de honte. D'affreuses plantes de plastique gisaient un peu partout. On ne les arrosait pas, on les époussetait. Une horloge grand-père rappelait, à coups de tic-tac tonitruants, chaque seconde de vie précieuse perdue à jamais entre ces murs funestes. De maigres meubles de vieilles filles servaient de reposoirs à des vases et autres bibelots des plus kitsch. Le décor sonnait si faux que Ré en vint même à se demander s'il n'avait pas été, au fond, qu'un faux prêtre.

Mais ce qui lui faisait le plus mal n'avait rien à voir avec cette prison austère. Ce qui lui faisait mal, par-dessus tout, c'était son pieu impie. La pression qu'exerçait ce foutu membre sur la paroi de son pantalon l'irritait au plus haut point. Et chacun de ses mouvements créait une friction qui lui donnait l'impression d'être à vif. Il lui aurait fallu demeurer immobile à longueur de journée.

Les battements de son cœur provoquaient des pulsations en son sexe qui l'obsédaient de façon maladive. C'était comme si son cœur avait changé de place. Toutes les pensées de Ré convergeaient vers son centre.

— Ma bite m'habite…, murmura-t-il pour lui-même.

Il devait voir un médecin au plus vite.

Ré parvint à oublier un peu son malheur quand on sonna à la porte. C'était son meilleur ami.

La première chose que firent l'inspecteur Specteur et l'ex-curé Ré en se retrouvant fut de se payer une accolade grandement méritée. Ce n'était pas tout à fait rafraîchissant pour Specteur que d'étreindre son ami avec autant d'intensité, puisque Ré n'était excommunié que depuis douze heures à peine. Le contact entre le disciple de Satan et l'ancien membre de l'Église ne provoquait plus de brûlures, certes, mais tout de même une chaleur d'une intensité surprenante. Néanmoins, les deux comparses demeurèrent blottis dans les bras l'un de l'autre pendant deux ou trois éternités, savourant cette proximité dont ils avaient été si longtemps privés.

Spec se décolla le premier. Il venait de sentir que l'amitié de Ré s'accompagnait d'un gourdin persistant. Il aimait bien son pote, surtout depuis qu'il n'était plus prêtre, mais il ne tenait pas à ce que cette embrassade dégénère en scène de capes et d'épées. Il y avait des limites à la confiance. Après tout, on ne connaissait jamais vraiment ses amis à fond et il y avait des fonds que Specteur ne voulait jamais connaître.

— J'en peux plus de cette chaleur ! mentit-il. Mes tripes sont en train de bouillir…

— Les miennes aussi ! ricana Ré.

Toutes ces émotions avaient considérablement déshydraté les deux amis. Ré proposa donc à Specteur d'aller prendre une bonne bière froide dans le Gros Orteil Droit du Grand Nain.

— La nuit est pleine d'étoiles! On pourrait les observer à travers l'ongle vitré du Gros Orteil!

— Je ne peux pas, dit Spec. Je t'ai déjà dit que je n'avais pas le droit de boire de l'alcool ailleurs qu'à la Taverne Occulte.

— Tu prendras une limo, c'est tout!

— Tu crois vraiment que j'ai envie d'arroser ça à la limonade, mon vieux?

Impasse. Ré regarda les murs autour de lui.

— Je dois avoir quitté ce presbytère d'ici minuit…, souffla-t-il.

— T'as un endroit où dormir?

L'excommunié bougea une main au hasard comme pour illustrer le flou du destin.

— Pas vraiment… Je pensais prendre une chambre d'hôtel pour cette nuit et commencer à me chercher un nid dès demain.

— Il n'en est pas question! trancha Specteur. Tu vas habiter chez moi le temps que tu aies retrouvé tes sens.

L'offre étonna Ré. Il se croyait entièrement seul, abandonné, son cordon ombilical traînant dans la boue.

— Mais Spec… tu es certain que ça ne…

— Tu la fermes et tu rassembles tes affaires. *Sine amicitia, homines non viverent.*

Joyeux et revigoré, Ré fila à sa chambre et en ressortit avec une toute petite valise.

— C'est tout? fit Spec, étonné de voir tant d'années de chapelets enfermées dans cette petite boîte.

— C'est tout! Rien ne m'appartient, ici. Je n'ai que quelques vêtements et des broutilles.

Specteur fit alors un geste qui allait assurer la sécurité de son ami. Il lui offrit, tout simplement, sa bague. Cette fameuse bague dont il connaissait toujours l'emplacement exact. En effet, il lui suffisait d'y penser et il savait aussitôt où elle se trouvait. Grâce à elle, Spec pourrait retracer son pote en tout temps.

— Tiens, fit-il en l'enfilant au doigt de Ré. Maintenant tu pourras dire que tu as au moins une chose qui t'appartient.

Les émotions créèrent un embouteillage dans la gorge de Ré.

— C'est trop ! gémit-il, péniblement.

— Ça me fait plaisir, je t'assure !

Les lèvres tremblotantes, Ré tendit la main à son ami.

— Spec, mon grand ami Spec, tu es l'être le plus extraordinaire que je connaisse et mon plus grand réconfort. Sache que je subirais les tortures les plus atroces pour toi… que je donnerais ma vie pour toi… que je… que je donnerais même mon âme au Diable pour toi…

Les boyaux de l'inspecteur Specteur se comprimèrent d'une manière incontrôlable. Il ne savait trop comment composer avec toutes ces lames de rasoir qui lui grouillaient dans le ventre et qui lui donnaient envie de se brailler les entrailles.

— Oh ! il est presque minuit et je dois passer voir Mière. Et je n'ai plus une goutte d'alcool dans le sang ! Si je ne me saoule pas d'ici une heure ou deux, je sens que je vais sombrer dans une profonde léthargie ! Je vais donc, de ce pas, à l'hosto puis à la Taverne Occulte me faire exploser le foie ! On se retrouve chez moi aux petites heures du matin. Voilà la clé. Bonne soirée et à plus tard !

Spec était trop ému. Avant d'inonder le presbytère de ses larmes, il devait absolument partir. Ce qu'il fit sans attendre.

Resté seul, Ré se masturba en pensant à la mort. C'était sa huitième séance de la journée sans qu'il ramollisse une seule seconde. Il pleura comme un enfant. Il était définitivement très malade.

Il pensa à un couteau bien affûté.

VINGT-TROIS

Écrasé devant ses écrans de surveillance, le gardien de l'hôpital Cœur du Grand Nain — il s'appelait Ednor — vida sa sixième bière et, du coup, cessa presque totalement de bégayer. L'infirmière Mière lui en offrit une toute neuve qu'il accepta aussitôt. Elle commençait à avoir hâte que l'inspecteur Specteur arrive. Le gardien refusait obstinément de lui laisser la cassette. Un : elle ne devait pas sortir de l'hôpital, deux : il tenait à la visionner avec eux, car il y avait décelé quelque chose qui risquait de les intéresser.

Après ces nombreuses bières, Mière pensait bien arriver à lui soutirer la cassette ou, tout au moins, à lui tirer les vers du nez, mais elle ne parvint qu'à lui faire morver une trop grosse gorgée. Elle regrettait de l'avoir fait boire. Son autorité légendaire n'avait aucun effet sur les ivrognes. À jeun, Ednor eût probablement fini par lui obéir. Saoul, il allait seulement finir par s'endormir.

— Je veux que monsieur l'inspecteur voit comme j'ai bien travaillé, répétait-il sans cesse.

Mière eut alors la brillante idée de faire croire au gardien qu'elle était agent double. Qu'on l'avait fait engager à l'hôpital Cœur du Grand Nain afin qu'elle puisse coincer les petits malins qui se servaient allègrement dans les réserves de drogues.

141

— Bien entendu, j'ai fait mon cours d'infirmière, mais je suis, d'abord et avant tout, un flic.

Ednor pleurnicha d'extase en entendant cette confidence. Il avait la plus haute estime pour les représentants de la loi, mais encore plus particulièrement pour les agents doubles. Selon lui, ils étaient les flics les plus complets, les plus compétents, puisqu'ils arrivaient à combiner technique policière et art dramatique. Il conclut donc, dans sa petite tête houblonnée, que Mière était supérieure à monsieur l'inspecteur dans la hiérarchie policière. Par conséquent, il lui devait respect et obéissance.

— Vous voulez qu'on regarde la cassette maintenant, agent Mière ?

— Avec grand plaisir, cher collègue !

Le gardien qui ne s'attendait vraiment pas à recevoir le titre de « collègue » s'empressa de tituber joyeusement jusqu'au magnétoscope et d'y insérer la cassette. Il agrippa ensuite une nouvelle bière et regagna sa chaise.

— Regardez bien, fit-il, non sans une certaine mollesse dans le clapet. Vous allez voir ce que vous allez voir !

Malheureusement, la vidéo ne montra rien de plus à Mière que ce qu'elle avait vu la première fois. Ce gardien lui avait vachement fait perdre son temps. De plus, il était presque minuit et l'inspecteur Specteur n'était toujours pas passé.

— Merde ! s'écria-t-elle. Vous disiez avoir remarqué quelque chose ! Tout ce que je remarque, moi, c'est que l'alcool vous fait dire des conneries !

— Holà…, grommela Ednor. Faut pas me parler sur ce ton, hein ! Si vous savez pas regarder, c'est votre problème…

— Mais qu'est-ce que vous avez vu de si intéressant, à la fin ?

— Il faut garder les yeux sur la civière…, marmonna-t-il en gardant à peine les siens ouverts.

Mière rembobina et se concentra. Elle commença par regarder l'image dans son ensemble. À la réception, c'était le calme plat. Il y avait bien, en arrière-plan, un mec qui poussait un malade sur une civière, mais la qualité douteuse des caméras de surveillance ne permettait nullement de reconnaître ni le pousseur ni le poussé.

— Faut r'garder... la... civière..., répéta difficilement Ednor.

Les yeux plissés comme ceux d'une Chinoise aveuglée, Mière s'approcha un peu de l'écran. Elle repassa le ruban deux ou trois fois et finit par remarquer LE détail. Il fallait être attentif car il était très subtil. Tout se passait très rapidement. Un mètre avant que la civière ne sorte du cadre de la télé, on pouvait voir le « malade » en descendre discrètement et se pousser sur sa droite en vitesse. Mière rembobina à nouveau afin de s'assurer qu'elle n'avait pas rêvé et fixa attentivement la civière. Elle avait bien vu. Quelqu'un avait bel et bien pénétré furtivement dans l'hôpital. Et ce, quelques heures avant que Ré ne subisse son opération. Un complice, ignorant visiblement la mort du docteur Sapért, avait pu imiter sa signature en indiquant l'heure qui lui plaisait. Il suffisait de respecter un jeu de plus ou moins quinze minutes.

Trop occupée qu'elle était à scruter son écran télé, Mière n'entendit jamais le ronflement d'Ednor, pas plus que les pas derrière elle. Quand elle sentit la seringue pénétrer la chair de son cou, il était déjà trop tard. La paralysie l'envahit peu à peu et elle comprit vite qu'on venait de lui injecter du curare. Une drogue qui vous coulait dans le béton, mais qui vous gardait pleinement conscient jusqu'à la fin. Ainsi, elle vit ce type au visage élancé tirer une langue aussi longue que ses bras avant d'enfoncer sa seringue dans la nuque du gardien. Elle entendit, ensuite, sa respiration s'éteindre lentement et son cœur frapper, en vain, à la porte de sa vie.

Avant de partir, Mière ralluma une image de Specteur, restée collée au fond de sa tête.

Pourquoi donc n'était-il pas passé plus tôt, celui-là ?

VINGT-QUATRE

— Si j'étais arrivé plus tôt, hier, hurla Specteur, j'aurais pu intervenir ! Putain d'ivrogne de gardien !

— Allons…, fit Decin. Même à jeun, il y serait passé et n'aurait pas pu sauver Mière. C'était une grosse loque.

— Putain de bordel de pute de sa merdique existence de sa chienne de mère !

Spec en était à son quarantième coup de crâne sur le mur. Il ne se pardonnerait jamais la mort de Mière. Surtout qu'elle était catholique, baptisée et confirmée. Il ne risquait donc pas de la revoir en Enfer.

— Arrête de te torturer ainsi, dit Decin. Tu n'y es pour rien. Tu ne peux tout de même pas intercepter tous les meurtriers de Capit juste avant qu'ils n'agissent !

— Là n'est pas la question, répondit Spec. Je le prends comme une attaque personnelle ! Ceux qui ont fait ça devaient savoir que Mière et moi nous connaissions. Ils savaient peut-être même qu'elle menait sa petite enquête. Et elle avait visiblement mis le doigt sur quelque chose d'important, puisqu'ils l'ont éliminée.

Il laissa échapper un grognement.

— Ça me met tellement hors de moi, conclut-il, que je n'ai qu'une seule envie, c'est de faire sauter cette putain de planète !

Decin mit une main sur l'épaule de son collègue.

— Je te comprends, mon vieux. Mais en attendant, on ne peut coincer les coupables qu'en tentant de comprendre où ils veulent en venir. Alors, va rejoindre les autres dans la salle de conférence. Le rapport d'autopsie de Leplacs est fort intéressant. Il va peut-être t'éclairer sur quelque chose.

— C'est bon, fit Specteur, résigné.

— Je vous y retrouve dans cinq minutes.

— Où tu vas ?

— Nourrir la cuvette…

— Pfff…

La mine basse, les pieds traînants, l'inspecteur Specteur s'en alla retrouver ses collègues. Il passa devant le bureau de Crétaire sans même entendre ses salutations enflammées. Spec ne la remarqua que lorsqu'elle se pendit à son trench.

— Inspecteur ! Inspecteur ! insista-t-elle. Inspecteur !

Spec se rappela soudain qu'il lui avait promis une chanson. Il plongea la main dans sa poche et en ressortit un bout de papier crasseux. La mort de Mière l'avait inspiré.

— Oh ! s'exclama Crétaire, vous ne m'avez pas oubliée !

Spec sourit à peine. Sans se formaliser du mutisme inhabituel de son inspecteur préféré, Crétaire commença à lire.

Du tréfonds des haines immortelles
D'où l'on émonde l'immonde Mal
Le délivrant du Bien trop frêle
Je reviendrai pourrir le bal

Au soir premier je dépucellerai
Vice de la vie que les dieux fardent
Et au matin mille macchabées
Pour le camarade de la camarde

Je tuerai à l'aurore
Je tuerai en l'horreur de son nom
Je tuerai même la mort
Je tuerai en l'honneur du Démon

Dès qu'elle releva les yeux pour remercier l'auteur, Crétaire constata que Spec avait déjà filé. Elle embrassa le bout de papier et s'en retourna rêver à son bureau.

Pendant ce temps, Decin savourait la libération du barreau. « Y a pas à dire, pensa-t-il, rien de mieux que les toilettes des dames pour perdre un petit kilo. C'est propre et ça sent le dimanche… »

On poussa la porte d'entrée. Le juron le plus approprié lui traversa l'esprit. « Merde ! Pas moyen d'avoir la paix ! » Il tendit l'oreille. Un pas lourd et pressé se dirigea vers le cabinet qui faisait face au sien. On toussota. Decin crut reconnaître ce timbre de voix, mais n'en fut pas certain. Ce qu'il reconnut sans peine, cependant, ce fut le bruit de la miction dans l'eau de la cuvette. Ce n'était pas le son grave, assourdi par la présence d'un fessier. Mais plutôt le son clair et gazouillant, créé par une évacuation à la verticale.

Decin n'avait pas entendu, non plus, l'étranger relever le siège avant de se laisser couler. Ce salaud était donc en train de l'éclabousser ! Car, comme bien des hommes, il n'avait sûrement pas le compas dans le méat. Ce type de négligence était, selon Decin, un des plus grands manques de savoir-vivre qui existaient en ce monde. Surtout dans les toilettes des dames ! Cela aurait mérité la pendaison par les couilles ou, tout au moins, la guillotine.

Non sans quelques difficultés, Decin baissa la tête sous la demi-porte afin de voir quel goujat s'amusait à souiller ces lieux sacrés. Son sphincter se resserra d'effroi. Merde ! Était-ce possible ? Il avait reconnu les souliers du docteur Leplacs ! Un homme ! C'était un homme !!! Le docteur Tromald Leplacs était un putain

147

d'homme! Decin fut pris d'un affreux fou rire. Compréhensible, puisqu'il venait de s'imaginer Mandant au lit avec elle (ou lui ou ellui). « À sa nuit de noces, songea Decin, le commandant aura sans doute la plus grosse surprise de sa vie! Et la plus longue! »

En y réfléchissant davantage, Decin devait arriver à d'autres conclusions encore plus rigolotes, voire dramatico-comiques : soit Mandant n'avait pas encore baisé, ni même peloté sa grosse chérie, soit il l'avait fait et ne s'était absolument pas formalisé de trouver un bâton de jeunesse sous sa jupe. Ce dont Decin doutait fortement. Le commandant Mandant avait l'air de tout, sauf d'un homosexuel. Mais, enfin, il pouvait se tromper.

L'envie de demander à Leplacs, qui achevait son désastre écologique, si elle (ou il ou elile) avait besoin d'assistance hygiénique titilla sévèrement Decin. Il décida toutefois de garder le silence et de demeurer invisible. Ce genre d'information pourrait peut-être lui servir un jour.

L'interstice de la porte confirma l'infinitésimal doute qui subsistait dans son cerveau. C'était bel et bien le docteur Leplacs, en chair et en homme. Elle sortit sans se laver les mains — double confirmation qu'il s'agissait d'un mâle, d'un vrai — et Decin put enfin achever sa besogne.

Quand il retourna à la salle de conférence du commissariat, tout le monde s'étonna du sourire qui était tatoué sur son visage.

— Qu'est-ce qui t'arrive ? demanda Specteur. T'as croisé le père Noël ?

— Non, son frère! s'exclama Decin. Son frère!

Bien qu'on ne comprît pas ce à quoi il faisait allusion, on se laissa aller à rire de bon cœur, tellement il avait l'air heureux.

— T'as une de ces tronches! fit Mandant en ricanant.

Decin lui sourit de toutes ses dents.

— Vous êtes de bonne humeur, aussi, commandant ?

— Je n'ai jamais été aussi joyeux de toute ma vie !

— Bravo ! C'est ce qui compte ! Et surtout, profitez-en !

Leplacs, qui n'avait pas encore digéré que Decin ait mis à jour son erreur professionnelle, se contenta d'un sourire très forcé.

— Bon ! lança Specteur qui en avait assez de voir tous ces airs hébétés, est-ce qu'on peut savoir où nous en sommes ?

— Tout de suite, inspecteur ! s'écria Decin en faisant un garde-à-vous ridicule. Nous pourrons, du même coup, apprécier le travail parfait qu'a effectué le docteur Leplacs sur le cadavre retrouvé dans une poubelle de l'hôpital Cœur du Grand Nain.

— Inutile de sombrer dans l'ironie ! répliqua sèchement Leplacs.

— Ce n'est pas de l'ironie, rassurez-vous ! J'ai pris connaissance de votre rapport et je trouve que vous avez vraiment effectué un travail complexe ! Vous êtes une femme… extraordinaire ! Vous avez fait récemment une erreur de parcours, certes, mais cela ne nous est-il pas tous arrivé un jour ou l'autre ! N'est-ce pas, commandant ?

D'abord surpris d'être pris à partie, Mandant se ressaisit rapidement et profita de l'occasion pour témoigner l'amour qu'il portait à sa précieuse fiancée.

— Oui, c'est vrai, mon trésor ! Decin a raison ! Tu es une femme extraordinaire !

— Une femme extraordinaire, répéta Decin avec son air le plus sincère et le plus sérieux.

— Dans ce cas, fit Specteur, qui s'impatientait, peut-on maintenant voir les résultats de votre travail, docteur Leplacs ?

— Avec plaisir, répondit-elle.

Du fond de son sac, elle sortit un dossier qu'elle posa devant elle.

— Sachez, tout d'abord, que ce rapport ne risque pas de nous apprendre grand-chose, sinon qu'il y a de plus en plus de maniaques qui circulent en toute liberté dans cette ville.

Leplacs exhiba la liste exhaustive des diverses drogues et maladies retrouvées dans le corps d'Érutrot. Elle expliqua ensuite qu'on avait gardé ce pauvre homme artificiellement en vie afin de s'assurer qu'il résiste à tous ces tests démentiels. Quand elle évoqua l'intestin grêle doublé et dévié ainsi que la quantité de sperme trouvé dans l'estomac du cadavre, on eût dit que tout le monde s'était entendu pour afficher la même moue dégoûtée.

— Je me demandais comment ce sperme avait pu résister aux sucs gastriques. J'ai eu la réponse quand j'ai découvert une deuxième poche, logée dans l'estomac, qui isolait la semence, de façon à la garder intacte. Dans quel but? Je l'ignore... Et tous ceux que j'ai consultés à ce sujet l'ignorent également. C'est plutôt absurde.

L'inspecteur avait besoin de concret.

— Qu'est-ce que vous concluez de toutes ces manipulations, de ces déviations? demanda-t-il.

— Cet homme n'a été, ni plus ni moins, qu'un cobaye involontaire à qui un détraqué a fait subir les pires atrocités. Voilà presque tout.

— Presque tout? répéta Specteur, curieux.

Leplacs hésita un moment. Elle soupira longuement puis déclara :

— Je ne suis sûre de rien, mais...

Elle s'interrompit et mordilla nerveusement sa lèvre inférieure. Spec sentit que le docteur Leplacs avait peur de dire des bêtises. Il la rassura :

— Exprimez-vous librement, docteur. Nous ne sommes pas ici pour vous juger, mais bien pour faire évoluer cette enquête.

D'un léger hochement de la tête, Leplacs signifia qu'elle avait compris le message.

— Je ne suis absolument sûre de rien, reprit-elle, mais je crois bien avoir fait une découverte… extraordinaire.

— Quoi donc ?

— Une bactérie inconnue semble être responsable des métamorphoses que j'ai observées dans le corps du sujet.

Tous écoutaient religieusement. Ce qui donna plus d'assurance à Leplacs.

— J'ai découvert la bactérie après avoir constaté que l'intestin grêle semblait s'être doublé et dévié *par lui-même*.

On échangea des coups d'œil incrédules.

— Même chose pour la deuxième poche dans l'estomac, continua Leplacs. Elle a poussé toute seule. Je sais, ça paraît bizarre. C'est pourquoi je vous ai dit que je n'étais sûre de rien et, pour cette même raison, je n'ai pas osé inclure cette découverte dans le rapport. Mais ce dont je suis certaine, c'est qu'il n'y a aucune trace de chirurgie. Aucune intervention humaine. Le besoin crée l'organe… à ce qu'on dit…

— Putain…, murmura Specteur, c'est plus une enquête, c'est un cours de biologie…

— J'ai mis cette bactérie entre les mains d'une équipe de chercheurs. Il ne nous restera plus qu'à nous croiser les doigts et espérer qu'ils l'identifient ou qu'ils y comprennent quelque chose.

Ces nouvelles données ne simplifiaient en rien le travail de l'inspecteur Specteur. Bien au contraire. Il fallait se mettre à sa place. On retrouvait un prêtre mort, puis un type sur qui l'on avait testé douze mille drogues, puis Mière, puis le gardien… Sans compter l'histoire de son meilleur ami, opéré par un médecin décédé trois jours plus tôt ! Et qu'est-ce qu'ils avaient bien pu trouver, Spec se le demandait, qu'est-ce qu'ils avaient bien pu trouver, Mière et ce gardien, pour mériter ce double homicide ?

— *Utinam hodie doctus essem !* se plaignit-il.

Un silence inconfortable plana dans la salle. Inconfortable parce que, tel un diabétique devant un su-sucre, Decin souriait bêtement, le regard rivé sur Leplacs. C'était grotesque.

Specteur réagit le premier.

— Putain, mec ! comment tu peux sourire comme un imbécile dans un moment pareil ?

Decin ne se rendait pas compte que son air niais avait quelque chose de moqueur et de méprisant. Il devait absolument trouver un moyen de se justifier.

— Euh… je… je me réjouissais seulement à l'idée que le docteur Leplacs était toute désignée pour autopsier le cadavre de ton infirmière.

Spec ne comprenait rien au petit jeu de son copain. Il se fit un peu plus ferme.

— Écoute, mon p'tit vieux ! Premièrement, ce n'est pas *mon* infirmière. Deuxièmement, tu as de bien drôles de façons de te réjouir. Et troisièmement, pourquoi le docteur Leplacs est-elle toute désignée pour cette autopsie ?

— Parce que, selon moi, le meurtre de l'infirmière s'inscrit probablement dans la même lignée que les deux précédents, que le docteur Leplacs suit le dossier depuis le début, qu'elle fera peut-être des parallèles entre les victimes et qu'elle est une femme, une vraie ! Tout comme Mière ! Voilà pourquoi !

Cette réponse avait un certain bon sens. Mais quelque chose dans les yeux de Decin prouvait qu'il mentait et qu'il s'amusait comme un petit fou. Specteur se promit d'avoir un sérieux tête-à-tête avec cette tête à claques.

— Et pour le gardien ?

— Euh… je peux m'en charger…

L'attitude du médecin irritait vraiment l'inspecteur. Il lui aurait volontiers fait un pontage à mains nues sur-le-champ.

— Rien d'autre, docteur Leplacs ? demanda-t-il sans quitter Decin des yeux.

— Pas pour l'instant, inspecteur.

Spec jugea qu'il était grand temps de passer à autre chose.

— Bon travail, docteur. Et si ça ne vous ennuie pas, j'aimerais bien que vous attaquiez le corps de l'infirmière dès aujourd'hui.

— Sans aucun problème.

Le docteur Leplacs et le commandant Mandant sortirent bras dessus, bras dessous. Leplacs en premier, puisque la porte était étroite. Decin allait leur emboîter le pas, mais Specteur le retint.

— Hé ! pas si vite ! Faut qu'on discute, toi et moi !

— Ah ! pas maintenant ! Je sais que j'ai fait le con devant Leplacs et je promets de te raconter pourquoi ! Mais plus tard !

— Non, je veux que tu me racontes tout de suite.

— Oh ! allez, Spec ! Fais pas chier, mon vieux ! On n'est plus à la petite école ! Je t'explique tout dès demain, d'accord ?

L'inspecteur était non négociable.

— Pas question ! jeta-t-il. Tu craches le morceau maintenant ou je te demande de t'expliquer devant Leplacs. Qu'est-ce que tu choisis ?

Decin s'était déjà trouvé devant des choix plus difficiles. Mais de telles démangeaisons lui couraient sur la langue qu'il finit par la délier.

— Écoute, mon vieux Spec, tu devineras jamais ce que j'ai découvert !

— Tant que tu ne me l'auras pas dit, non !

— Alors, écoute celle-là ! J'étais aux chiottes, pas plus tard que tout à l'heure, et je me laiss…

La porte de la salle s'ouvrit brusquement. Les deux hommes se retournèrent, fâchés de constater qu'on parasitait, sans s'excuser, deux esprits sur le point de se reconnecter.

153

— Qu'est-ce qui se passe, encore ? grogna Specteur, légèrement irrité.

C'était le général Néral, accompagné de deux de ses soldats. Il avait une information de la plus haute importance et de la plus haute confidentialité à lui donner. Decin refusa de les laisser seuls. Même à la demande insistante de Specteur. À son avis, il avait le droit, lui aussi, de connaître cette information. De toute façon, il l'apprendrait tôt ou tard, alors aussi bien la lui communiquer tout de suite. Malheureusement, Spec ne l'entendit pas de la même façon et l'expulsa à grands coups de militaires prêts à charger. Decin rechigna à peine et sortit en feignant la colère. Les deux soldats suivirent. Une fois les oreilles étrangères éloignées, le général Néral put enfin s'exprimer.

— Nous avons fait une découverte qui risque fort de vous intéresser, inspecteur Specteur.

— De quoi s'agit-il, général Néral ?

— Pendant qu'ils patrouillaient au sommet du mont Ont, mes hommes ont mis la main sur un drôle d'individu. En fait, c'est un frère de feu, mais il a une de ces têtes ! Il s'appelle Gargouille, il est peintre et affirme vous connaître…

— Je crois bien le connaître pas mal, moi aussi…

Spec fit un bref résumé de l'histoire de Gargouille en omettant, volontairement, l'histoire du chien et d'Adèle. Ce qui n'empêcha pas Néral d'être ébranlé. Puis les deux hommes se mirent d'accord : personne, au commissariat, ne devait voir Gargouille. À vrai dire, personne au monde ne devait connaître son existence. Heureusement, Néral avait été prévoyant. Il avait abattu la demi-douzaine de soldats qui avaient trouvé Gargouille afin d'éviter qu'on découvre son allégeance au Diable. Chez lui, c'était naturel. Il s'y connaissait en abattoir. Ce jeune suppôt avait déjà presque un million de victimes sous la conscience. Un génocide d'enfant. Il était, sans contredit, l'élément le plus destructeur de Satan. Ce ne fut donc pas chose facile que de le convaincre d'attendre avant de rapatrier Gargouille en Enfer. D'autant plus que Specteur ne voulait pas, pour l'instant, fournir la raison de cette requête. Il avait un plan et Néral devait lui faire confiance. Les deux suppôts étaient de bons amis. Ils avaient combattu Dilleux Lepaire ensemble. Néral se plia donc à la demande de son allié.

Ils choisirent l'appartement de l'inspecteur comme lieu de détention. Gargouille y serait à l'abri des regards indiscrets et Spec pourrait l'interroger à loisir. Dès qu'il en aurait terminé avec lui, il en aviserait Néral, lequel pourrait, dès lors, ramener le peintre à Satan qui lui réservait, sans doute, quelques surprises.

VINGT-CINQ

Ça faisait déjà six jours que ça durait. Ré avait beau penser à des enfants malades, à des vieillards en couche, à des infirmes abusés, à des trisomiques torturés, à des moteurs noyés et même à Adèle assassiné, il ne ramollissait pas. Les seules variantes qu'il connaissait étaient de l'ordre du degré de sa fermeté. Il passait de « ferme » à « très, très ferme » à « dangereusement ferme » à « poussez-vous, ça va sauter ! ». Ça allait de mal en pis. Il devait absolument consulter un médecin. D'autant plus que le frottement régulier de sa perche contre son pantalon commençait à lui créer des plaies de vit.

Se plaindre d'érection permanente, douloureuse, n'était pas chose commune du tout. Et quand cette plainte venait d'un curé fraîchement excommunié, ça relevait carrément de la science-friction. Mais ce que Ré n'arrivait pas à se mettre dans le crâne, c'était que, sans sa robe noire, personne ne pouvait penser qu'il avait déjà été prêtre. Malgré cela, il gardait toujours le sentiment paranoïaque qu'un écriteau sur son front disait : « Prêtre vicieux excommunié qui a la gaule dure comme une barre de fer et qui se branle douze fois par jour ». Ré fut donc surpris de constater que le médecin n'accordait pas plus d'importance à son turgescent problème que s'il s'agissait d'un vilain rhume. Son diagnostic semblait d'une simplicité et d'une évidence désarmantes.

— Vous souffrez de priapisme, mon cher ami.

— De quoi, docteur ?

— De priapisme, qui vient de Priape, dieu de la Fécondité et de la Fertilité. Ce dieu est toujours représenté avec un phallus démesuré en érection. C'est la raison pour laquelle on a baptisé votre « maladie » ou votre handicap temporaire « priapisme ».

Dans la tête de Ré, le nom résonnait comme « priez pour moi », « pris au piège », « pris à perpette »,…

— Mais, docteur, gémit-il, je ne peux pas rester comme ça indéfiniment ! Ça n'a aucun sens !

Le docteur ricana.

— Quand on pense aux pilules qu'on achète à prix d'or pour être comme vous, il faut pas se plaindre. J'en connais qui donneraient cher pour être à votre place, mon cher ami.

— Je vous en prie, docteur. Les deux premiers jours, c'était peut-être rigolo, mais maintenant, je ne trouve plus ça drôle du tout. C'est très embarrassant, vous savez !

— Je n'en doute pas, mais, malheureusement, je ne peux rien pour vous.

— Quoi ? Vous ne pouvez pas me prescrire… je ne sais pas moi… un relaxant musculaire ?

— Qui n'agirait que sur ce muscle-là ? Non.

— Aucun relaxant ne peut assoupir cette sale bête ?

Le docteur rajusta ses fesses sur son siège.

— Oh ! attention, fit-il, vous y allez un peu fort, cher ami ! C'est quand même de votre organe de reproduction dont on parle ici ! Et si je vous prescris un relaxant suffisamment fort pour le calmer, il y aura des effets secondaires et peut-être même des séquelles graves sur votre système nerveux. Je ne peux pas vous faire courir ce genre de risque.

— Qu'est-ce que je vais devenir ? De quoi je vais avoir l'air ?

— Ne vous alarmez pas, mon cher ami…

— Je ne suis pas votre cher ami !

Le ton ne laissait plus place au raisonnement. Mais le docteur essaya, tout de même, de rassurer son patient.

— Je vous garantis qu'il est inutile de paniquer. Portez des vêtements amples, évitez toutes frictions sur des tissus rugueux et… faites l'amour ! Votre petit handicap fera son temps et vous retrouverez bientôt votre normalité d'homme.

Ré s'impatienta. Il se leva et haussa la voix.

— Vous ne comprenez donc pas ! Je suis un… Je… Ce n'est pas moi ! D'habitude… non ! Je n'ai pas l'habitude d'être comme ça ! Vous comprenez ? Ça ne peut pas m'arriver ! Ça ne correspond pas à mes habitudes !

Le médecin s'impatienta à son tour.

— Écoutez, mon cher a… Écoutez-moi bien. Je n'ai pas l'habitude de choper deux grippes en hiver. Et pourtant, c'est ce qui m'est arrivé cette année. Le concierge n'a pas l'habitude de se casser une jambe. La semaine dernière : double fracture du péroné ! Ma femme n'a jamais eu l'habitude de mourir ! L'été dernier, elle est décédée d'une saloperie de cancer du foie qu'elle n'avait jamais l'habitude de contracter ! Alors, vous pouvez prendre vos putain d'habitudes et vous les enfoncer là où j'ai envie de prendre l'habitude de vous mettre le pied ! Compris ? Déguerpissez immédiatement !!!

Ré, qui n'avait pas l'habitude de rouspéter, sortit sans mot dire mais se défoula en claquant un petit peu la porte.

Il resta cloué sur le trottoir pendant une bonne dizaine de minutes. Que se passait-il dans ce monde de fous ? Dans ce corps de fou ? Il lui semblait ne plus faire partie de la réalité.

Tout allait et venait, autour de lui. Comme s'il fallait aller et venir pour être normal. Cette ville était peuplée de girouettes. Des milliers de hamsters s'exténuant à faire tourner des milliers de roues inutiles. Un perpétuel étourdissement qui lui polluait les sens. Il ferma les yeux. Ce fut pire. Un grincement de freins, des bribes de conversations, un coup de sifflet, des klaxons, un rire d'enfant, une portière refermée, des pas de course, des moteurs, un cliquetis de vélo, une quinte de toux, un coup de vent... C'était vraiment pire. Il rouvrit les yeux et comprit soudainement ce qu'était la vie.

La vie, c'était le chaos.

En observant plus attentivement son environnement, il se rendit compte qu'il avait, sous les yeux, une organisation superbement bien désorganisée. Un chaos d'une inharmonie merveilleusement absurde. L'un courait, l'autre boitait, lui traversait la rue, elle sirotait un café, ce camion crachait une fumée noire, cette bagnole en ralentissait trente, ce chien tirait sur sa laisse, ce mendiant dormait la main tendue, cet enfant tombait de son vélo, ce vieillard discutait avec un banc, ce coup de vent emportait son chapeau... Que d'éléments chaotiques...

Ré s'imagina, un instant, au beau milieu de la forêt. Ce lièvre mangerait, ce moustique le piquerait, cet oiseau se poserait, cet autre s'envolerait, ce mulot se cacherait, ce renard courrait, le sang coulerait, le vent le sécherait...

« La vie appelle la mort..., songea Ré. Pour que je vive, il faut qu'il y ait meurtre. Meurtre de bœuf, meurtre de chou, meurtre d'ail. Les êtres raisonnables mangent les non-raisonnables qui se mangent entre eux. Mais qui a raison ? Qui a la raison ? »

Il marcha un peu pour tâcher d'oublier le confort invitant du cercueil, un leitmotiv qui le hantait depuis plusieurs jours. Au coin d'une rue, une prostituée l'accosta.

— T'as des yeux de chaton abandonné, mon trésor. Tu veux pas te payer un peu de bon temps pour oublier ?

Ça alors ! Une pute ! Qui l'abordait, lui ! S'il s'attendait à ça ! C'était toute une surprise, puisque, depuis sa sortie de chez le médecin, il se sentait totalement invisible. Il se raidit[1] un peu. La prostituée lui jeta un regard maternel.

---

1. Sauf là où il l'était déjà.

— Alors, quoi, mon chaton ? Tu peux me raconter, tu sais. Ça se voit que t'es tout triste. Ça se voit comme une queue au milieu du visage.

Elle passa une main dans sa chevelure. Ré frissonna.

— Qu'est-ce que t'as, mon chaton ?

Bien qu'il fût incapable de prononcer le moindre mot, Ré n'en apprécia pas moins le fait qu'elle l'ait remarqué, lui, dans ce chaos. Du spectateur dégoûté qu'il était, deux minutes plus tôt, presque plus de traces. Il redevenait, peu à peu, acteur, hamster. Une énergie nouvelle l'irriguait.

— Je suis pas trop douée pour faire parler les gens, poursuivit la prostituée. Mais, si tu veux, on monte là-haut et je donne ma langue au chat. Ou plutôt, au chaton…

L'hôtel était juste derrière eux. À un pas et quart. Mais Ré n'arrivait pas à se décider. Il fourrait les mains dans ses poches, les en ressortait, rajustait sa chemise, toussait. La pute comprit qu'elle n'avait qu'à insuffler au malheureux un peu de chaleur humaine pour qu'il dégèle. Elle le prit délicatement par la taille et Ré se laissa guider sans résister.

En montant l'escalier qui allait enfin le mener à autre chose qu'un jubé, il savoura la tendresse de cette femme qui ne le jugeait point. Cela le troubla. Il pensa à toutes ces années pendant lesquelles il n'avait considéré ces filles de joie que comme de grandes pécheresses, tout juste bonnes à souiller des hommes purs mais, hélas, un peu trop faibles. Comme il s'était trompé ! Comme il avait eu tort ! Ce moment de calme, de quiétude, de grande excitation que cette prostituée lui offrait là, maintenant, n'avait pas du tout goût de péché, mais plutôt de salut. L'ascension vers l'inconnu n'en fut que plus intrigante.

Une petite chambre, modeste mais chaleureuse, accueillit le couple et l'enveloppa d'un parfum d'abandon. À partir de ce moment, Ré n'eut pas la moindre idée de ce qu'il devait faire ou ne pas faire. Il eut même un moment de panique. La prostituée le prit dans ses bras et le rassura. Elle l'entraîna vers le lit et le fit s'étendre sur le dos. Ré tremblait comme s'il venait d'émerger d'un lac glacé. D'un geste doux, la prostituée posa une main sur ses paupières et l'invita à se laisser aller. Un à un, elle le délivra de ses vêtements. Puis il l'entendit en faire autant. Quand elle eut terminé, un long silence s'installa dans la chambre. Totalement nu devant cette inconnue, Ré angoissait derrière ses paupières. Il avait l'impression de n'être qu'un immense sexe prêt à exploser.

La fraîcheur du condom le calma un peu. La sensation était étrange. Outre l'effet du caoutchouc sur sa peau, il y avait cette main, une main autre que la sienne, qui le touchait sans scrupule. Mais ce n'était là qu'un avant-goût des subtilités de ce merveilleux sens qu'était le *toucher*.

En prenant soin de ne pas brusquer son client qu'elle sentait nerveux, la prostituée s'écartela au-dessus de lui et l'introduit doucement en elle. L'expérience charnelle que Ré était en train de vivre, pour la première fois de son existence, lui ouvrit la porte d'une nouvelle forme de spiritualité. Dès cet instant, il saisit pleinement le sens profond de la *communion*.

Ils communièrent durant deux heures. Les cheveux dans les yeux, les yeux dans les cheveux. L'épopée de la vie naviguant sur chairs envoûtées. Ainsi fut dépucelé cet homme de peu de foi. Et quand il dut, finalement, quitter son initiatrice, Ré n'avait toujours pas trouvé le sens de la vie, mais avait retrouvé un peu de ses sens à lui.

De retour à l'appartement de Specteur, il surprit Fido et Fidouce en flagrant délit de libertinage. Ré souffrit davantage de la scène qu'il ne s'en régala, puisque son homme le faisait toujours autant souffrir. Il croyait bien que l'aventure qu'il venait de vivre avec cette prostituée allait éliminer son problème, mais son bas-ventre se comportait, plus que jamais, comme le nez de Pinocchio au beau milieu d'un mensonge.

Il voulut gagner sa chambre afin de laisser respirer son petit camarade irrité en toute intimité, mais un mot, apposé sur la porte, l'arrêta.

Cher Ré,

N'entre surtout pas dans cette chambre ! Elle est occupée. Tu peux dormir sur le canapé. Je tâcherai de ne pas te réveiller en rentrant. Désolé, mais je n'ai pas le choix. Je t'expliquerai.

Ton ami, Specteur

Résigné, le pauvre Ré se dévêtit et se jeta sur le canapé en pleurant. Il était épuisé. Non pas physiquement, car il se sentait plus en forme que jamais, mais mentalement. Son monde était complètement chamboulé. Comme celui d'un chimpanzé qu'on aurait renvoyé dans la jungle après quinze années de captivité.

Encore une fois, il songea à la mort, mystérieux leurre, prometteur d'une douce délivrance. Insidieux appât, aussi, bien capable de receler un compte-gouttes éternel d'eau bouillante dans les oreilles. Sur ces pensées optimistes, Ré s'endormit, nu, sur le dos, toujours au garde-à-vous.

Le sommeil, exutoire magique de la conscience, catharsis suprême du poids des jours, était son dernier allié. À travers les soubresauts et les spasmes nerveux, résultat de ses agitations quotidiennes, Ré se drainait tranquillement des poisons de sa mauvaise fortune.

Il ne comprit pas tout de suite ce qui le tirait si brusquement de cet état de grâce. Jusqu'à ce qu'il sente grouiller son sexe. C'était le comble ! Fido et Fidouce en avaient fait leur nouveau perchoir !

— Bôôôôrk ?

— Bêêêêêrk !

Ré leur flanqua une baffe monumentale et se releva en vitesse. Il sursauta. Specteur était là, debout, devant la porte d'entrée. Il venait tout juste d'arriver et était gelé sur place.

— Qu'est-ce que tu fabriques? lança-t-il dans un fou rire. T'es devenu ornithophile ou quoi?

— Non, non, c'est pas drôle, vieux!

Spec nota une grande tension sous le nombril de son copain.

— Putain! t'assures, mon vieux! *Dat veniam corvis, vexat censura columbas!* Tu vas lui péter les œufs, c'est sûr!

— Tais-toi, Spec!!!

— Ha! ha! Je sais pas comment tu vas distinguer le mâle de la femelle, mais, chose certaine, la pauvre bête ne fera pas cui-cui pendant le coït!

Fou de rage, Ré agrippa le canapé et le renversa vers Specteur en hurlant.

— LA FEEEEEEERME!

Le sang de Spec se cailla. Il n'avait jamais entendu son ami gueuler de la sorte.

— Arrête, vieux! supplia-t-il. Je disais ça pour blaguer! Tous les hommes ont le cou de girafe, de temps à autre, la nuit!

— Ta gueule! siffla Ré. Ferme ta grande gueule et fous-moi la paix! T'es qu'un sale taré qui comprend rien à ce qui m'arrive!

— Mais voyons, Ré…

— T'es qu'un égoïste! Tu me fais chier! Vous me faites tous chier! Aaaaarrrggghhhhhhh!!!

Il vociférait comme un possédé en plein exorcisme. Une drôle de purée lui sortait de la bouche. On eût dit qu'il avait la rage. Il trépignait, se cambrait, se frappait la poitrine. Il bougeait n'importe comment. Un mime sous électrochocs. Son sexe se balançait, de droite à gauche, comme la queue d'un chien fou.

À travers ses insultes et ses invectives, Ré ne se rendait pas compte du ridicule de sa chorégraphie. Spec, si. Et il en avait assez vu. Il tira son .666 et troua généreusement le canapé. Ce qui ralentit considérablement les élans vocaux de Ré.

— Rhabille-toi et tiens-toi tranquille, veux-tu ?!!!

Tout en sueur, Ré se reculotta en chialant.

— Laisse-moi partir !

— Qu'est-ce que tu racontes ? lança Specteur en tentant de raisonner son ami. Attends ! Il faut que je t'explique pour la chambre ! Il faut qu'on discute !

Ré ne voulait rien entendre.

— Tu ne comprends pas ! grogna-t-il. Personne ne comprend !

Il poussa un sprint vers la sortie. Specteur l'agrippa par un bras, mais Ré se dégagea brusquement et le gifla de toutes ses forces. Devant l'hystérie incontrôlable de son copain, Spec préféra abandonner et le laissa filer. De toute façon, grâce à la bague qu'il lui avait offerte, il saurait bien le retrouver.

Malgré tout ce boucan, Gargouille n'avait pas émis le moindre son. Soit il était sourd comme un cocu, soit il était d'une grande discrétion.

En replaçant le canapé, Specteur eut la surprise de sa vie. Fido et Fidouce s'y étaient réfugiés pendant la crise de Ré. Ils étaient criblés de plombs, et leurs petits corps inertes ne ressemblaient plus qu'à des plumeaux ensanglantés.

VINGT-SIX

L'inspecteur Specteur était seul à seul avec son nouveau pensionnaire.

— Parle, Gargouille, dit-il. Je t'écoute.

Ainsi, l'inspecteur Specteur apprit qu'avant de vendre son âme au Diable, Gargouille n'était pas qu'un simple mage. Il était également le seul survivant du clan des *Neutrus Pictorus*. Des mages peintres insondables et insaisissables qui n'affectionnaient ni le Bien, ni le Mal, ni le beau, ni le laid. Dans leur neutralité, ils s'entichaient volontiers de n'importe quoi. De l'excessivement envoûtant à l'excessivement répugnant en passant par l'excessivement endormant. Les *Neutrus Pictorus* étaient des adorateurs du tout et du rien du tout.

Au Moyen Âge, ils étaient un millier à pratiquer le même art : la peinture. Nomades, ils ne peignaient qu'au lever et à la tombée du jour. Ou quand ils en avaient assez de marcher. Quatre fois l'an, c'est-à-dire au début de chaque saison, ils prenaient un mois de répit, le temps de confectionner de nouvelles toiles.

Les *Neutrus Pictorus* ne choisissaient jamais ce qu'ils allaient peindre. Ils installaient leur chevalet au hasard et reproduisaient ce qu'ils avaient sous les yeux, sans juger. Seule contrainte : ils ne peignaient jamais un des leurs. Quand un *Neutrus Pictorus* se trouvait dans le champ de vision d'un de ses semblables, le premier des deux à s'en rendre compte changeait aussitôt de place. La raison en était fort simple : on ne pouvait reproduire un des siens sans qu'il perde dix années de sa vie. C'était le prix à payer pour obtenir un tableau de la plus grande ressemblance.

Toutes les toiles, sans exception, peu importe leur complexité, devaient être terminées avant qu'on reprenne la route ou qu'on aille dormir. Toujours, les œuvres étaient abandonnées sur place, et la grande majorité d'entre elles ne voyaient jamais œil qui pût les contempler.

Essentiellement herbivores, les *Neutrus Pictorus* n'avaient jamais eu besoin de troquer leur art contre de la nourriture ou quoi que ce fût d'autre. Ce qui faisait d'eux des êtres totalement indépendants. Ils n'avaient donc jamais ressenti le désir de se frotter aux hommes « normaux » et s'étaient toujours contentés de les observer d'aussi loin que possible. Car, bien que physiquement identiques en apparence, les hommes étaient très différents des *Neutrus Pictorus*. Premièrement, ils n'étaient pas herbivores et, deuxièmement, ils étaient très loin d'être neutres.

La décimation des *Neutrus Pictorus* commença, d'ailleurs, dès leurs premiers contacts involontaires avec les hommes. Jusqu'alors, les peintres nomades avaient réussi à éviter les villages ou les maisons isolées. Mais les hommes étaient plus nombreux et se reproduisaient rapidement. Il devenait donc de plus en plus difficile de circuler, dans cette Friande du Moyen Âge, sans croiser ni cavaliers ni voyageurs, et ce, même à travers champs ou dans des collines perdues.

Un soir que les *Neutrus Pictorus* s'étaient arrêtés au cœur d'une plaine du sud de la Friande, ils se retrouvèrent coincés entre deux troupes de combat ennemies. Sept mille hommes d'un côté et dix mille cinq cents de l'autre. Quand les troupes chargèrent, les pauvres *Neutrus Pictorus* furent pris en sandwich. Ignorant les techniques de combat et jusqu'au principe même de la violence, ils ne contribuèrent donc qu'à gonfler le nombre des victimes de part et d'autre. À la suite du carnage, les quelques survivants qui avaient réussi à se mettre à l'abri furent vite capturés par les vainqueurs et réduits à l'esclavage.

Ce fut ainsi que Gargouille se retrouva au service du roi.

On l'avait d'abord mis au cachot, comme un vulgaire malfaiteur. Quand on se rendit compte qu'il ne touchait jamais à sa gamelle et qu'il ne réclamait que de l'herbe, de l'eau et de quoi peindre, on crut simplement qu'il s'agissait d'un excentrique en manque d'attention. On ne répondit donc qu'à sa première requête, histoire de le faire souffrir un peu. Au bout d'un mois, sa santé physique en étonna plusieurs. Il était en pleine forme et se distrayait du mieux qu'il pouvait en dessinant sur les murs de sa geôle. Grâce aux surplus d'herbe dont il disposait et d'un peu d'eau de pluie, il réussit à créer des verts d'une pureté incroyable. En les mélangeant avec un peu de son sang et de son urine, il obtenait ensuite des teintes saisissantes de chaleur. À l'aide de ces maigres couleurs, Gargouille orna son unique mur fenêtré d'un magnifique paysage. Le seul qu'il arrivait à voir de sa prison. Il avait dû remplacer le bleu du ciel par un vert clair, mais le résultat n'en était que plus fascinant. Bientôt, tous les geôliers voulaient être assignés au cachot de Gargouille de façon à pouvoir admirer le maître à l'œuvre.

Ce comportement suscita la curiosité d'un des conseillers du roi. Il alla voir ce que ce cachot avait de si extraordinaire. Quand il découvrit le travail de Gargouille, le conseiller pleura d'admiration. Il libéra aussitôt le prisonnier pour mieux l'attacher à un arbre, juste devant le château. Puis il lui fit porter une série de toiles, des pinceaux et suffisamment de peinture pour repeindre la Friande au complet. Avant la tombée de la nuit, Gargouille avait peint le château avec une telle magnificence, un tel lustre, qu'il fut immédiatement présenté au roi.

Étonné par un chef-d'œuvre aussi bouleversant de réalisme, le souverain lui demanda de faire son portrait.

Gargouille refusa. Outré, le roi lui ordonna de le peindre sur-le-champ, sans quoi il lui ferait couper la tête. Gargouille exécuta les ordres, bien qu'il connût les conséquences d'un tel geste.

Quand il eut terminé son œuvre, Gargouille la signa. Du coup, le visage du roi se creusa, de nombreuses rides y apparurent et la moitié de sa barbe devint blanche. Fou de rage, le souverain imputa immédiatement ce vieillissement spontané au peintre qu'il traita de damné. Il ordonna qu'on le torture afin qu'il avoue avoir volé une partie de la vie de son roi. Gargouille n'eut pas besoin de passer entre les mains du bourreau, puisqu'il déclara qu'il en était toujours ainsi quand un *Neutrus Pictorus* peignait le portrait de quelqu'un, roi ou pas. Le roi déclara qu'il était temps que cet homme comprenne la différence qu'il y avait entre *un* roi et LE roi. Il fit venir son sorcier et lui ordonna d'enfermer le dernier *Neutrus Pictorus* dans une gargouille pour l'éternité.

Le peintre y resta jusqu'à ce que Satan l'en délivre, vingt ans plus tard. Mais le peu de temps que Gargouille avait passé à côtoyer les hommes avait suffi à lui faire perdre sa neutralité. Il avait donc passé toutes ces années à fomenter sa vengeance.

Aujourd'hui, grâce au pouvoir que lui avait donné Satan, tout ce que Gargouille peignait — hommes, femmes, animaux, paysages —, bref, tout ce qui se retrouvait sur ses toiles perdait beaucoup plus que dix années de vie. Les représentations picturales de Gargouille voyaient carrément s'envoler leur existence.

— Vous êtes un brave homme, dit Specteur. Votre histoire, certes, ne me réconcilie pas avec l'espèce humaine, mais c'est justement la raison pour laquelle je veux vous aider à recouvrer votre liberté.

Gargouille resta muet.

— Avant toute chose, poursuivit Spec, j'aimerais bien savoir pourquoi vous avez peint le portrait de ce chien, celui d'Adèle, et finalement le mien, que vous n'avez heureusement pas signé.

— Il n'y a aucun mystère…, déclara Gargouille, tout en douceur. J'ai voulu attirer votre attention. Car tout me poussait vers vous.

— Comment cela ? fit Spec, étonné.

— Tout le monde vous connaît, en Enfer. Tout le monde sait que vous êtes un excellent suppôt, serviable et qui châtie bien. Mais on sait également que vous êtes la plus grande contradiction vivante sur la planète Nète.

— C'est vrai, avoua Specteur. D'ailleurs, mon meilleur ami est un prêtre… enfin, était un prêtre…

— Il est clair, continua Gargouille, que vous méprisez ce bas monde et ses règles factices. Tout comme moi…

— Je veux bien, mais pourquoi avoir tué Adèle ?

— C'était nécessaire. Il fallait que je vous rencontre. J'étais même prêt à faire disparaître Capit…

— *Urbs Capita est clara…*

— Mais sachez que jamais je n'aurais signé votre portrait.

La discussion avait duré presque une journée entière, de l'histoire de Gargouille jusqu'à la philosophie quasi commune des deux hommes.

— Mais vous voulez votre liberté, non ?

— Je veux la liberté de l'air, de la terre, de l'eau et du feu. Pour ma part, il faudra seulement me débarrasser de ce cercle de métal qui me scie le visage.

Sans réfléchir, Specteur lui prit la main.

— En attendant, dit-il, accepteriez-vous de rendre la liberté à un être qui m'est très cher ?

— Avec grand plaisir, répondit Gargouille sans hésiter. Mais demain, seulement. Je suis exténué.

Specteur laissa le peintre se reposer et alla s'asseoir devant la pyramide de verre sous laquelle était sanglée mademoiselle Zelle.

— Tu ne perds rien pour attendre, ma belle…

VINGT-SEPT

Le docteur Tromald Leplacs lava soigneusement chacun de ses instruments chirurgicaux. Puis elle retira son sarrau et retourna voir Mière une dernière fois avant d'appeler la morgue. « Je ne m'habituerai jamais…, songea-t-elle. Le meurtre des femmes me tue… » D'un mouvement léger, voire aérien, elle passa une main dans la chevelure de la morte.

— Pauvre enfant… Encore une innocente que ces salauds d'hommes auront réussi à éliminer…

L'autopsie était concluante. Injection de curare au niveau de la nuque. Elle avait dû souffrir en toute conscience, sentir la vie s'éloigner lentement, comme un amant désabusé, sans un regard en arrière. Leplacs faillit verser une larme. Elle n'en était pourtant pas à sa première autopsie. Mais elle n'y pouvait rien. Jamais elle ne pourrait devenir aussi froide, face à la mort, que les cadavres qu'elle disséquait.

Un bruit métallique attira son attention. C'était le médecin Decin. Il s'approchait de la porte en jouant avec les clés de sa Peugeot. Il entra en affichant un air de comédien de téléroman. Leplacs le dévisagea.

— Qu'est-ce que vous faites ici ? lança-t-elle avec la douceur d'un crachat.

— Allons, allons ! en voilà une façon d'accueillir un collègue de travail !

— Je n'ai besoin de personne. Et de toute façon, j'ai terminé.

Comme s'il avait voulu la provoquer, Decin eut un rire narquois.

— Ha! ha! Tout s'est bien déroulé, au moins?

— Qu'est-ce qui vous fait rire?

Decin se remit à rigoler de plus belle. Leplacs se figea. Elle s'efforça de demeurer impassible malgré les ricanements du parasite. Au bout d'un interminable moment, Decin se calma enfin et répondit:

— Vous le savez très bien, voyons… ma jolie…

— Justement, non. Et, pour tout vous dire, je n'en ai rien à foutre.

Elle était sur ses gardes. Ce qui ne plaisait vraiment pas à Decin. Il rajusta son tir.

— Non, mais vous savez ce que je veux dire. Vous, une femme, au milieu de… de cadavres, de violence, de flics parfois indélicats… Ça doit être plus difficile à… à supporter… non?… Au niveau des émotions, j'entends.

Le jeu de Decin était subtil. Et Leplacs n'avait pas la moindre idée de ce à quoi il voulait en venir.

— Parfois oui, parfois non, lança-t-elle pour en finir avec cet emmerdeur. C'est la même chose pour quiconque pratique ce métier. Maintenant, si vous voulez bien m'excuser, il faut que j'y aille!

Elle n'eut pas le temps de faire un pas que Decin lui bloquait déjà la route.

— Laissez-moi passer! cria Leplacs.

Au lieu d'obéir, Decin avança lentement vers elle et la tassa dans un coin. La première chose qu'elle sut, c'est qu'elle n'avait plus aucune issue possible. Decin appuya ses deux bras contre le mur, de chaque côté de la tête de Leplacs, et lui souffla légèrement sur le toupet. Il sentait le mépris à plein nez.

Leplacs avait un peu peur. Cet homme la dépassait quand même d'une tête. Elle était costaude, certes, mais tenait beaucoup à ses os.

— Aloooors…, susurra Decin. On refuse de partager ses secrets avec ses collègues ?

Bien qu'angoissée, Leplacs garda son sang le plus froid possible[1]. Elle ne voulait surtout pas être une victime avant d'en être vraiment une.

Decin se faisait de moins en moins rassurant. Il ricanait comme un débile et faisait de drôles de bruits avec sa bouche. Leplacs commençait à en avoir vraiment marre. Elle songea à une façon de s'en sortir. Dans ce genre de situation, le ballet casse-noisettes était toujours approprié. La chorégraphie était simple et ne laissait pas de marques apparentes. Elle allait passer à l'action quand Decin se colla contre elle. C'était foutu. Avec cette proximité, elle n'arriverait jamais à atteindre la force d'impact souhaitée pour lui faire remonter les couilles au niveau des amygdales. Elle décida de patienter un peu. Decin se pencha à son oreille.

— Tu peux me dire…, murmura-t-il. Je suis au courant de tout, tu sais…

— Je n'ai absolument rien à cacher et je vous interdis de me tutoyer !

— Ah ! vous n'avez rien à cacher ! chantonna Decin.

D'une main brusque et ferme, il empoigna la verge de Leplacs par-dessous sa jupe.

— Et ça, c'est quoi ?

— La même chose que ça ! répondit-elle[2] en agrippant le morceau de son agresseur.

Pris à son propre jeu, Decin n'osa pas se débattre. Surtout qu'il était en érection.

— Oh, putain ! s'écria Leplacs, il est dur comme de la roche, en plus, le salaud ! Il aimerait pas les garçons, par hasard, hein ?

---

1. L'idéal, c'est quand même de le tenir au congélateur. Mais que voulez-vous ? On n'en a pas toujours un sous la main.
2. L'utilisation du féminin pour Leplacs n'a pour seul but que d'alléger le texte.

Leplacs le tripota avec savoir-faire. Renversé par la situation, Decin se mit à haleter comme un chiot essayant de garder la tête hors de l'eau. Il crachait des séries de syllabes tout aussi bizarres qu'incompréhensibles. Non seulement il n'arrivait pas à faire une phrase complète, mais il n'arrivait même pas à faire un balbutiement complet.

— Tu aimes ça, hein ? renchérit Leplacs en glissant la main dans son froc. T'aimes les hommes, mon salaud ? T'aimes comment je le fais, hein ?

Decin hochait la tête en signe d'affirmation. Il sanglotait de bonheur ou de malheur, on n'aurait su dire. En tout cas, si c'était du bonheur, il fut bien court car Leplacs l'attaqua avec une cruauté que ses nombreux kilos avaient plutôt bien cachée jusqu'à maintenant.

— Tu sais quoi ? T'es qu'un autre de ces putain d'homophobes qui ne rêvent que de se faire branler et de se faire sucer par un autre homme ! C'est ça, hein ?

Coincé entre le plaisir que lui procurait la dextérité de Leplacs et la honte d'apprécier ce même plaisir, Decin devenait un livre ouvert. Il ne pouvait plus mentir. L'abandon à ses tendances refoulées se lisait sur chaque millimètre de son corps. Tout son être disait oui. Il était tout ouï à tout.

Leplacs continuait de le besogner ardemment.

— Tu aimerais que je joue les initiatrices, c'est ça ? Que je te montre ce que seul un homme peut faire à un autre homme, hein ?

La gueule inondée de salive, Decin acquiesçait de toutes ses forces. Sentant sa proie solidement harponnée, Leplacs changea de masque.

— Eh ben, j'ai des petites nouvelles pour toi, mon garçon ! C'est pas moi qui vais t'initier ! Tu vas t'initier toi-même !

Elle le força à se mettre à genoux et releva sa jupe. En le tenant fermement par les cheveux, elle poussa sa tête contre son sexe.

— Allez, petit saligaud ! Initie-toi aux plaisirs de ton propre sexe !

À la grande surprise de Leplacs, Decin s'exécuta aussitôt. Elle fut prise au dépourvu. Jamais elle n'aurait cru que ce petit jeu de pouvoir la mènerait si loin. Mais elle ne rêvait pas. Decin lui tétait vraiment le pis ! Tourmentée par sa conscience, elle ne savait trop si elle devait le laisser faire ou l'arrêter. Mais la chair avait beau être dodue, elle n'en demeurait pas moins très faible.

Le labo avait retrouvé un silence relatif. Seuls les gloussements de Decin et les soupirs de Leplacs témoignaient encore d'une certaine activité humaine.

L'initiation tirait à sa fin quand une balle traversa le crâne de Decin, trouant, du même coup, l'organe de Leplacs. Les hurlements de la travestie se mêlèrent à ceux de Mandant qui fonçait vers elle en tirant comme un déchaîné. Il fut bientôt seul à hurler, feu son ex-future épouse ayant reçu trois projectiles dans la tête dont un avait sérieusement endommagé ses cordes vocales.

VINGT-HUIT

Depuis l'apparition des Pénissoir et Vaginoir, il était impossible de se taper une petite surdose de Maiissìhkh, tranquille, à la Taverne Occulte. Il y avait toujours foule. Tous et chacun désirant exhiber ses prouesses buccales en public. D'ailleurs, il n'était pas rare de voir les soirées tourner en orgie monstrueuse.

Installé au bar, l'inspecteur Specteur essayait, en vain, de réfléchir. Il devait rencontrer Satan d'une minute à l'autre. Comment allait-il arriver à lui mentir à plein nez ? Surtout que, ce qui était embêtant avec ce damné patron, c'était qu'on ne savait jamais sous quelle apparence il allait se présenter. En chauve-souris, en étalon, en centaure ?… Enfin, Specteur souhaita seulement que Satan n'apparaisse pas sous la forme d'un morpion. Il ne tenait pas à avoir l'air de discuter avec sa bite.

Une bouteille de Maiissìhkh ruisselante atterrit sous son nez. La main qui la tenait glissa langoureusement le long du goulot. Spec leva les yeux. Une jeune blonde, d'à peine dix-huit ans, aux traits joviaux, lui souriait fraîchement. Ses sourcils, légèrement tombants, surmontaient deux perles toutes bleues qu'on eût dit taillées à même un saphir. Des lèvres, fines comme des brins d'herbe, reliaient ses deux joues en un horizon placide et plein de candeur. Enrobant ce visage puéril qui inspirait la pudeur, une tignasse dorée dont on ne finissait plus de compter les reflets.

Mis à part la cécité, rien n'aurait empêché Specteur d'admirer cette jeune femme durant des siècles.

— Arrête de me fixer comme si j'avais une revue porno à la place du visage ! lança-t-elle avec une voix de cendrier. On va finir par croire que tu veux me sauter !

Ce qui n'était pas tout à fait faux.

— C'est vous ? Satan, c'est bien vous ?

— Bien sûr que c'est moi, abruti de guano ! Qui veux-tu que ce soit ?

— Une jeune fille qui a envie de mon corps, peut-être ?

— Arrête tes conneries et dis-moi plutôt où tu en es dans tes recherches !

Pour une fois, l'inspecteur Specteur fut content du choix corporel de Satan. Et ça tombait vraiment à point. Car tout cafouillage de sa part serait sûrement interprété comme étant un bouleversement temporaire provoqué par la beauté de son interlocutrice. Spec put donc commencer son compte rendu en toute quiétude.

— Je suis vraiment tout près de mettre la main sur ce Gargouille.

— Comment ça, tout près ? s'indigna la diable de fille.

— Des hommes du général Néral disent avoir aperçu un individu qui correspond à son signalement aux alentours du mont Ont.

— Et pourquoi ils l'ont pas arrêté tout de suite, ces cons ?

— Euh... ben, c'est qu'ils étaient pas en patrouille mais seulement en manœuvres.

Satan feula. Il n'en revenait pas. L'armée ne se contentait pas d'enrôler que des cons. Elle les forçait en plus à devenir de stupides cons.

— Ils y sont retournés ? reprit-il.

— Qui ça ?

— Qui ça!!! Les putains de militaires, guano de guano! Qui d'autres?

— C'est… Oui, justement… Mais la… ou plutôt le… euh… Gargouille n'y était plus…

— Alors? demanda Satan, bouillant.

— Hmm… alors quoi?…

— Alors, quel est ton plan, espèce d'idiot?

Specteur pédalait dans le sable mouvant. Satan, lui, fulminait dangereusement. La tension était insoutenable. Avant de se faire un croc-en-langue, et de plonger dans une mer d'onomatopées, Spec préféra avouer.

— Bon, bon, ça va, ça va, ça va, ça va! débita-t-il rapidement. Je l'admets, je vous ai menti… bon.

Satan-blondinet retrouva un peu de son calme. Ce qui ne fit pas de tort à Specteur car il sentait, peu à peu, son corps se vider par les aisselles. Il profita de la pause pour engloutir la moitié de sa bouteille de Maiissìhkh.

— Dis-moi la vérité, maintenant, fit le Diable.

Spec se racla la gorge et confessa:

— Si je n'ai pas encore trouvé Gargouille, ce n'est pas parce que j'ai perdu mon temps à jouer à la marelle. Mais plutôt… euh… euh…

— Mais plutôt?

— Mais plutôt parce que j'ai beaucoup plus intéressant à faire.

Il avait beau être dans le corps d'une beauté troublante, Satan afficha, néanmoins, un regard meurtrier.

— Qu'y a-t-il de plus important, petit morveux, que ce que ton maître t'a ordonné de faire?

— Oh! un tout petit détail, chantonna Specteur, l'air faussement détaché. C'est que j'ai trouvé le moyen d'éliminer Dilleux Lepaire une fois pour toutes.

Les narines de la blonde s'ouvrirent au maximum.

— Tu veux rire?

— Pas du tout, assura Spec. J'ai rendez-vous avec lui demain après-midi, et ce sera fait, sans faute. C'est aussi certain que vous existez.

Satan prit son suppôt par les épaules et lui jeta un regard qui frôlait la supplication. Une grande fébrilité le faisait trembloter jusqu'au bout des poils.

— Tu me le jures ? demanda-t-il.

— Je vous le jure. *Tua res agitur…*

Une lueur de domination traversa les yeux du Démon blond. Était-il possible que ce rêve utopique se réalise enfin ? Débarrassé de Dilleux ? Si c'était le cas, ô combien ce serait jouissif ! Satan serait le maître absolu de la planète Nète ! Finies les contraintes loufoques de cet Être dont l'épithète Suprême seyait mieux au chocolat qu'à sa piètre entité ! Finis les stupides sentiments de culpabilité ! Finies les guerres de religions, de sectes, de croyances, de dieux !

Le Bien, de par ses trop nombreux cieux, se tuerait lui-même ! Le Mal, avec son unique Enfer, triompherait ! Grâce à cette magistrale singularité !

Adieu maladies ! famine ! guerres ! tricheries ! envie ! tueries ! exploitation ! vols ! mort ! Les disciples du Mal étaient à l'abri de tous ces dangers ! Et ils étaient, eux, véritablement égaux ! Alors, bienvenue gourmandise ! abus ! fêtes ! vices ! alcool ! drogues ! luxure ! orgies !

C'était ça, la révélation ultime ! La vérité sur la vie éternelle ! Non pas celle qui parlait d'anges, de harpes, de nuages et de paix ennuyeuse ! Non ! Celle qui parlait de fête éternelle ! De beuveries infinies ! De bacchanales perpétuelles !

Le Roi des Ténèbres jubilait.

« À bien y penser, pensa-t-il justement, le triomphe du Mal n'apporterait, somme toute, que du bien. Le mot "Enfer" devra incontestablement être redéfini. »

Satan revint soudain sur terre. Il s'était, malgré lui, perdu dans ses rêves. Il se rendit compte que Specteur le regardait avec un drôle d'air. À moins qu'il ne reluque la blonde.

— Ça va ? dit Spec. Vous êtes toujours là ?

— Oui, oui, ça va ! Ça va même très bien !

Il se frotta les mains d'enthousiasme.

— Maintenant, dis-moi où ça va se passer ! Je ne voudrais surtout pas manquer ça !

Une grimace de contrariété germa dans le visage de Specteur.

— Eh bien… euh… je préférerais que vous ne soyez pas là…

— Quoi ? lança Satan, offusqué.

— Non, excusez-moi, en vérité, je *ne veux pas* que vous soyez là. Pas du tout.

Satan poussa un cri de rage qui sonna comme s'il venait de se décrocher le pharynx. Ce qui ternit quelque peu la féminité de son corps de collégienne.

— Mais pour qui tu te prends, sale petit minable ?

— Pour quelqu'un qui veut être certain de réussir, rétorqua aussitôt Specteur. Et si vous n'acceptez pas de me laisser mener ce grandissime projet comme je l'entends, vous êtes aussi bien de l'oublier tout de suite.

Bien qu'il admirât le courage de son suppôt, Satan dut faire de gros efforts pour refouler l'envie qu'il avait d'éplucher Specteur comme une banane verte. Il lui flanqua tout de même un coup de bouteille en plein visage en prenant bien soin de ne pas s'excuser par la suite. Quand Spec eut fini de saigner, Satan lui donna enfin sa bénédiction.

— Va ! Mais ne me déçois pas, guano de guano ! Sinon je te jure que je te garde un rat de ma rate !

— Vous ne le regretterez pas…

Un sourire de gamin aux lèvres, l'inspecteur Specteur se leva et salua Satan.

— Oh ! s'exclama-t-il avant de partir.

— Quoi, encore ?

— Euh… quand j'en aurai terminé avec Dilleux Lepaire, je pourrai vous baiser, dites ?

Satan faillit imploser, tellement il se retint de ne pas pouffer de rire.

— Me baiser, moi ? ! ! ! Ha !

— B'enfin… je pourrai baiser le corps que vous avez là ?

Cette précision éclaira Satan, et la blonde reprit donc, l'espace d'un instant, sa voix originale.

— Il y a de très, très, très fortes chances…, chantonna-t-elle d'un ton mielleux.

Et, reprenant son timbre à lui, Satan ajouta :

— Car j'ai confiance en toi et je crois bien que tu vas réussir à me débarrasser de cet emmerdeur, de cette plaie, de cette écharde qu'est Dilleux Lepaire…

Il ne croyait pas si bien médire.

VINGT-NEUF

Seul dans son nouveau chez-lui — un petit deux pièces avec vue imprenable sur l'ennui —, Ré était sur un nuage noir. Il picolait et prisait de la cocaïne depuis midi. Il était dix-huit heures. Le malheureux s'était trouvé un fournisseur de fuite en poudre tout neuf. Depuis, une grande partie de ses inspirations se faisait au ras d'un miroir. Il ne s'en voyait que plus triste.

Son raisonnement avait été fort simple. Le priapisme perdurait ? Tant pis ! Il allait le mater en s'anesthésiant au max. Ce n'était pas ce putain de muscle pervers qui allait détruire son existence ! Il en était bien capable tout seul !

Toutefois, quelques grammes de blancheur et douze bières plus tard, il ne pouvait toujours pas crier victoire. Sa rigidité n'avait pas fléchi d'un poil[1]. Il décida donc de sortir prendre l'air, histoire de respirer autre chose que de la poussière de désespoir.

Ré se rendit vite compte que sa tête n'était pas d'accord avec ses pieds, et vice-versa. Il marchait si bizarrement qu'on eût dit qu'il essayait de camoufler qu'il essayait de camoufler qu'il zigzaguait, en essayant de camoufler qu'il zigzaguait. Sur le trottoir, on le contournait, on l'évitait, on l'esquivait, des chena-

---

1. Pubien, il va sans dire.

185

pans le poussaient. Plus il avançait, plus on le montrait du doigt.

Las de tituber et de se faire des croche-pieds, Ré s'étendit carrément sur le trottoir. Certains passants n'eurent pas d'autre choix que de l'enjamber. Bottillons, talons hauts, baskets, sandales, autant de chaussures que de démarches différentes lui trottaient autour de la tête.

De l'autre côté de la rue, une affiche lui fit un immense sourire. Il s'agissait, en fait, d'un panneau géant sur lequel on avait apposé une gigantesque paire de lèvres, rouges comme une fraise mouillée. Au-dessus, on pouvait lire :

CLUB
LIBIDO
Elle avec Lui
(ou Toi…)

De peine et de misère, Ré se redressa et retrouva une posture presque humaine. Il traversa la rue en évitant les klaxons, crissements de pneus et autres « Barre-toi de là, connard ! » pour finalement aboutir devant la porte d'entrée du Libido. Il avait résolu de se taper un doublé : anesthésie totale et partouze totale. La totale. Ainsi, il aurait peut-être la chance de voir enfin disparaître son handicap.

Le Libido accueillait ses visiteurs avec mystère et vacuité. En effet, il n'y avait rien ni personne dans le hall d'entrée, mis à part douze portes en demi-cercle. Au-dessus de chacune d'entre elles se trouvaient deux lumières. Une rouge, allumée quand la porte était verrouillée, et une verte, quand elle ne l'était pas. Ré chancela jusqu'à une lumière verte. Derrière la porte, il n'y avait qu'un fauteuil, recouvert de velours bleu royal. Sur le mur, un panneau indiquait : *Veuillez vous asseoir et patienter quelques instants.* Ré se cala dans le fauteuil et, en attendant qu'arrive quelqu'une, il se poudra le nez afin de se refaire une laideur. Tout à coup, le fauteuil remua. Ré renversa la moitié de sa farine. Trop occupé à ramasser les dégâts, il ne se rendit pas compte qu'il était en mouvement. Jusqu'à ce que deux portes s'ouvrent devant lui et qu'il se retrouve quasiment en chute libre.

Son fauteuil, monté sur quatre roues d'acier, dévala les rails souterrains d'une ancienne mine à la vitesse d'un TGV. Il traversa un tunnel qui devait faire, au moins, quatre cents mètres de longueur. Ses murs étroits étaient ornés de longues torches aux allures médiévales qui défilaient comme des lampadaires, à deux cents, sur une autoroute. Heureusement pour lui, Ré était totalement gommé. Il ne s'effraya donc pas de ces montagnes russes improvisées et se laissa sagement brasser en attendant d'aboutir quelque part.

Le fauteuil avait ralenti considérablement et arrivait maintenant en fin de course. Un déclencheur installé dans les rails fit s'ouvrir une porte à deux battants. Ré la traversa et se retrouva dans une immense chambre où régnait une faible odeur d'herbe fraîchement coupée. Au centre, se trouvait un très grand lit, en forme de lèvres, autour duquel se tenaient vingt-cinq magnifiques demoiselles en négligés. Quand elles aperçurent ce pantin enfariné, aux yeux mi-clos et à la babine molle, les filles eurent un mouvement de recul. Certaines émirent même des petits cris de dégoût. Avant que Ré n'eût le temps de dire ou de faire quoi que ce fût, une grande dame, tout de noir vêtue, vint se planter devant lui. Elle ne prit le temps d'enfiler ni gants blancs ni sourire d'accueil.

— Où est-ce que tu te crois, abruti ? Dans une porcherie ?

Ré releva la tête et bredouilla :

— J'su d'z'un bordel ?…

— Imbécile ! cracha la dame. T'arrives même pas à parler, comment veux-tu arriver à quoi que ce soit avec les filles ?

Miraculeusement, Ré se leva d'un seul coup. Bien que vacillant, il réussit à tenir tête à la dame.

— J'su capab'd'les baiser toutes ! Une 'près l'aut' !

Les filles éclatèrent d'un grand rire moqueur. Décidément, l'alcool redonnait un peu trop de confiance à ces pauvres messieurs. Ironique, la dame en noir décida de le prendre au mot et le mit au défi.

— Tu te prends pour un super-héros, hein ? Eh ben, si t'arrives seulement à bander, je te laisse en baiser une, petit malin…

— Jus'une ?

Une série de cris réprobateurs montra clairement que les filles n'appréciaient guère ce genre de vantardise. Il n'en fallait pas plus pour que la dame en noir relance Ré.

— J'ai une meilleure idée, tiens ! Si t'arrives à en baiser une seule, je te laisse les baiser toutes ! Pour le même prix !

Personne ne réprouva la gageure, et toutes les filles acquiescèrent en chœur.

— D'zzz'accord…, bourdonna l'éponge.

Quand Ré baissa son froc, les rires se muèrent en cris de surprise. Et deux heures plus tard, la dame en noir regrettait son pari. Non seulement Ré avait baisé toutes ses protégées, mais il avait même fait deux tours de piste.

Exercice aidant, il avait pas mal dégrisé et était devenu beaucoup plus gentleman. Il faisait même rire les filles en leur parlant de ses années de prêtrise et de son dernier passage à confesse.

La dame en noir était fascinée par le cas de Ré. Le cas qu'il portait entre ses deux jambes… Elle n'arrêtait pas de le questionner au sujet de son érection permanente. Ré avait beau lui avouer ne rien comprendre à ce phénomène et maudire ce sérieux handicap, elle, au contraire, n'arrêtait pas de parler de « don du ciel « et de de la nature ». Las de disserter sur le sujet, Ré se mit à cabotiner. Au grand plaisir des filles, il décora son sexe, tantôt d'une serviette, tantôt d'un seau, tantôt d'un rouleau d'essuie-tout ou d'un chapeau... C'était le divertissement du siècle. L'hilarité générale. Les filles en redemandaient.

Opportuniste, la dame en noir flaira une occasion de faire une grosse montagne de fric. Prétextant une bonne humeur hors du commun, elle donna congé aux filles et invita Ré à venir boire un coup dans son bureau. Il avait soif et ne se fit pas prier. Grâce à une réserve de drogues diverses, qu'elle gardait pour les jours fades, la dame en noir ne mit qu'une heure à replonger Ré dans un état lamentable. Elle arriva ainsi à lui faire signer un contrat d'un an, par lequel Ré s'engageait à venir faire le pitre tous les samedis soir au cabaret du Libido. Le spectacle devait inclure des acrobaties nues où Ré s'amuserait à coiffer son sexe de divers ustensiles et autres gadgets rigolos.

La première aurait lieu dans deux jours.

TRENTE

Quand le commandant Mandant ouvrit l'œil, il se sentit drôlement engourdi. Il l'ignorait, mais on avait dû lui administrer un calmant très puissant pour arriver à le contrôler.

Pour le moment, Mandant n'avait qu'un vague souvenir de ce qui s'était passé. Il revoyait les images floues de deux corps qui s'approchaient l'un de l'autre, deux masses mouvantes qui se collaient... Ah, tiens ! Ça lui revenait... Foutue mémoire... Il se serait bien passé de ce souvenir. Car plus les images s'éclaircissaient, plus il sentait son cœur se gonfler. De tristesse, puis de rage.

Mandant revenait tranquillement à lui. Il n'était pas dans son lit. Ça, il le savait. Il releva à peine la tête et reconnut aussitôt le décor d'une cellule de prison. Les souvenirs explosèrent à nouveau dans sa tête, telles des détonations de revolver. Il y avait deux cadavres. Il les voyait mieux, maintenant. Oh oui ! Il les voyait aussi bien que s'ils avaient été là, sous ses yeux. Bon débarras.

En se concentrant un peu, il arriva même à les voir, tous les deux, sous la terre, des vers grouillant dans leur visage, pénétrant les orbites, jaillissant des oreilles, du nez... Tableau réconfortant... Si ces deux-là étaient devenus des cadavres dans sa tête et dans la vie, c'était parce qu'ils n'avaient pas été gentils. Ça, il le savait aussi. Ils lui avaient fait du mal. Beaucoup de mal. Et pour une fois qu'il était heureux, il ne méritait pas ça. Lui n'aurait jamais fait ça. Jamais. Il était gros, pas très beau, grincheux, mais il n'était pas méchant. Pas assez pour faire ça, en tout cas.

De leur vivant, ces deux cadavres lui avaient fait tellement, tellement de mal. Elle aurait dû lui dire qu'elle était un lui. Il lui en aurait sans doute beaucoup voulu, mais elle ne serait pas morte de le lui avoir dit à lui plutôt qu'à lui. Même chose pour lui. S'il avait su que lui avait découvert qu'elle était un lui, il ne l'aurait pas tué, lui non plus, mais l'aurait plutôt remercié, lui, de lui avoir ouvert les yeux sur lui qui se faisait passer pour elle. Mais il était trop tard. Désormais, elle et lui avaient des ailes.

Un toussotement sortit Mandant de ses réflexions tordues. Ciel! il n'était pas seul dans cette cellule! Combien devrait-il donc en tuer pour avoir la paix?

Le plus discrètement possible, il tourna la tête afin d'apercevoir celui qui partageait son trou. Quand Mandant reconnut le type, il eut un choc terrible. C'était le médecin Decin! Ce putain de Decin! Comment était-ce possible? Mandant était peut-être engourdi, mais il était lucide! Par quel miracle Decin était-il arrivé là? Il avait bel et bien tiré une balle dans la tête de ce salaud! Il avait fait éclater cette face de putois! Il s'en souvenait comme si c'était hier! Et c'était hier, par-dessus le marché! Ça n'allait pas se passer comme ça. La réalité ne pouvait tout de même pas se mettre à changer du jour au lendemain, sans risquer de soulever le courroux des bonnes gens.

Sans hésiter, Mandant se leva d'un bond, agrippa Decin par la tête et lui plaqua une main sur la bouche. Il ne voulait surtout pas que ce fumier alerte les gardiens. À sa grande surprise, Decin resta très calme et ne résista nullement à son assaut.

— Comment t'as fait, espèce de trouduc?!! cracha Mandant entre les dents. Je t'ai troué, chien de ta race! Je t'ai troué le crâne!!!

Decin pouvait à peine cligner des yeux. Mandant desserra lentement l'étreinte. Il était curieux de voir si cette ordure allait en profiter pour l'attaquer ou, tout au moins, essayer de se défaire de son étau. Rien. Pas un geste. À en juger par le regard de bébé phoque qu'il lui lançait, Decin voulait surtout qu'il le laisse parler. Mandant lâcha prise. Quand Decin eut retrouvé son souffle et qu'il put, à nouveau, faire vibrer ses cordes vocales, il déclara :

— J'attends votre réveil depuis plus de cinq heures. Le gardien m'a permis de patienter dans votre cellule. Ça m'évitait de devoir le déranger quand… C'est pour ça que…

Que de mots inutiles ! Il avait patienté cinq heures. Il avait intérêt à accoucher maintenant ou à foutre le camp à jamais. Il opta pour l'accouchement.

— Je vous demande sincèrement pardon, commandant. Sincèrement.

Mandant détourna le regard.

— Mais, si je peux me permettre, poursuivit Decin, vous n'auriez pas dû tuer cet homme, cette… euh… le docteur Leplacs… Car, grâce à lui, j'ai enfin découvert qui j'étais vraiment…

Cette dernière affirmation fut de trop. Une décharge de violence corrosive électrifia Mandant des pieds à la tête. La poussée d'adrénaline fut si forte qu'elle annihila toute forme de raisonnement. Les yeux du commandant n'avaient plus rien d'humain. Ils renfermaient soudainement toute la bestialité du monde, tous les carnages, toutes les tueries, toutes les peurs, tous les pleurs. Il empoigna Decin par la chevelure et le traîna jusqu'à la cuvette. Le visage du commandant était crispé comme un poing fermé. En un grand geste solennel, qu'on eût dit fait à contrecœur, Mandant souleva la tête de Decin pour mieux la rabattre contre la porcelaine. Au moment de l'impact, un craquement sourd témoigna de la fracture de la mâchoire, et trois dents aboutirent au fond de la cuvette.

Mandant constata que cela lui faisait un bien immense. Il répéta l'exercice libérateur une bonne vingtaine de fois. Quand il arrêta enfin, la tête de Decin était si défaite qu'on n'aurait pu dire s'il s'agissait d'un visage ou d'un kilo de bœuf haché avec des cheveux.

Le commandant Mandant regagna sa couchette en chialant comme s'il avait un tison au fond de la gorge. Chaque fois qu'il s'essuyait les yeux, ses larmes se mêlaient au sang de Decin. Il eut bientôt l'air d'un gros clown déchu, abandonné sous la pluie.

Mandant resta lové dans son lit à sangloter et à mordiller son unique couverture pendant une bonne heure. Son malheur s'égouttait. Il s'en foutait, car il se savait condamné à sécher là pour un bon bout de temps. Ce ne fut qu'au moment où il se rendit compte que Decin était complètement rétabli, qu'il n'avait plus la moindre ecchymose au visage, que Mandant songea qu'il valait peut-être mieux pour lui de rendre les armes et, même, de rendre l'âme.

TRENTE ET UN

Selon les déductions de l'inspecteur Specteur, libérer mademoiselle Zelle de son enveloppe intemporelle allait être un jeu aussi simple que de faire éclater un mulot à coups de .666.

Voici à quoi se résumait sa réflexion.

Étant donné que tout ce que peignait Gargouille voyait son existence disparaître, il était, naturellement, hors de question de reproduire mademoiselle Zelle telle qu'elle apparaissait sous la pyramide de verre. Toutefois, en ne s'attaquant qu'à sa forme, à ses contours, à ses courbes, bref, en ne s'attaquant qu'à la silhouette de la prisonnière, on n'éliminerait que l'enveloppe intemporelle qui la retenait hors de son véritable espace-temps.

Il fallait y penser. L'inspecteur Specteur y avait pensé.

Gargouille convint que l'idée avait un certain sens et que, par conséquent, elle valait la peine d'être testée. Il installa donc son chevalet à l'intérieur de la pyramide et sélectionna sa couleur. Soucieux d'accomplir le plus-que-parfait, il opta pour un noir très foncé. Il ne devait y avoir aucune confusion de ton entre le dessin et le sujet. L'utilisation d'une teinte se rapprochant trop, par exemple, de celle de la peau de Zelle, pouvait entraîner des disparitions irréversibles lors de la signature de la toile. Il fallait délivrer la pauvre fille. Non pas la peler.

Pour la première fois, Gargouille ne reproduisait pas une image dans son intégralité. Il dut donc faire un effort d'imagination. Menton contre torse, les yeux clos, il visualisa Zelle dans une espèce de justaucorps, de costume moulant, qui la recouvrait de la tête aux pieds. Il imprégna son esprit de cette image, qui se découpait dans la nuit de ses paupières, et attaqua.

Specteur avait beau clamer que cette libération allait être un jeu d'enfant, il tremblait quand même comme un souffre-douleur à la rentrée des classes. Il suivait, avec angoisse, chacun des mouvements de Gargouille. Un coup d'œil bizarre du peintre lui coupait le souffle. Un froncement de sourcil le tétanisait. Un sourire lui gonflait les ailes d'hélium.

Au bout d'une petite demi-heure, la silhouette était dessinée.

— Ça y est ? demanda Spec, tendu comme une arbalète. Vous êtes prêt à signer ?

— Pas encore, répondit Gargouille en plissant le front. Il me reste quelques lignes à peaufiner.

Les sens aux aguets, Specteur observa le maître parachever son œuvre. Épreuve de patience extrême, puisque les retouches de Gargouille n'en finissaient plus de ne plus finir. Ce maniaque était d'une précision capable de vous tatouer un tank sur le dos d'un pou.

La situation était ironique. Car chaque fois que Gargouille reculait d'un pas pour juger du dessin dans son ensemble, il donnait l'impression d'avoir terminé. Ce qui faisait bondir Specteur de plaisir, pour mieux le laisser s'effondrer de déception, par la suite, quand il voyait le peintre retourner à sa toile, rajoutant un trait si subtil qu'il eût fallu l'observer au microscope. Montagnes russes pour le cœur.

L'inspecteur s'éloigna un peu. Il était à bout de nerfs. Si ça continuait, il allait devoir assaillir ses ongles d'orteils, tellement ceux de ses doigts étaient rongés. Mais l'autocannibalisme avait ses limites. De plus, Spec ne se trouvait pas particulièrement délicieux, et encore moins nutritif. Il délaissa donc ses cuticules pour arrêter un œil impatient sur la libération de sa promise.

De cruelles minutes défilèrent avec peine. Le miracle se faisait désirer.

Gargouille mit tout autant de temps à parfaire la silhouette de mademoiselle Zelle qu'à la peindre en tant que tel. Pas en vain, cependant. Car il avait drôlement assuré. Le résultat final déconcertait.

On était loin d'une représentation fidèle et banale, propre aux vies éteintes ; aux natures mortes. On avait plutôt affaire à l'existence en mouvement. Réelle. Transcendante. Quand on fixait la silhouette, une centaine de traits filiformes, ingénieusement disposés, créait une vibration ondoyante qui singeait la vie. Tour de force. Car bien que plaquée sur une toile, l'aura de Zelle donnait vraiment l'impression d'être animée.

Rien à refaire, rien à redire. Le peintre avait parfait la perfection.

Le temps était venu de signer. La magie allait enfin opérer. Gargouille prit son plus petit pinceau, le trempa dans l'huile et se pencha cérémonieusement sur la toile.

— Attendez ! lança Specteur qui espérait ce moment depuis trop longtemps. Je veux accueillir Zelle comme un homme, un vrai…

Gargouille fut surpris de constater que Specteur doutait de l'acuité visuelle de sa dulcinée au point de devoir exhiber une preuve de sa masculinité. En effet, Spec s'était foutu à poil et desserrait les sangles de mademoiselle Zelle, de façon à ce qu'elle puisse lui sauter dessus, une fois libérée.

— Ça va ! s'écria l'impatient nudiste. Vous pouvez signer, maintenant !

Une certaine ivresse s'installa dans l'air. Le pinceau de Gargouille chatouilla le bas de la toile avec langueur. Les lettres s'enlacèrent, ornant la nouvelle œuvre d'une griffe éternelle. Sitôt la signature terminée, l'espace physique qu'occupait mademoiselle Zelle devint totalement noir. Comme les fameux trous noirs du chien et d'Adèle, mais en moins opaque. L'inspecteur Specteur eut une légère défaillance. Il crut, un moment, que Gargouille avait échoué et que sa petite Zelle était perdue à jamais.

C'est alors qu'un long cri parvint aux oreilles des deux hommes. Mais la plainte était si lointaine qu'il eût été impossible de dire d'où elle venait. Heureusement, le son se rapprocha graduellement. Ce qui redonna espoir à Specteur. D'autant plus qu'il reconnaissait cette douce musique.

— C'est sa voix ! hurla-t-il. Je suis sûr qu'il s'agit de la voix de Zelle !

Soudain, on entendit un claquement sec, comme un coup de fouet dans l'air. Puis une série de craquements, semblables à ceux des glaçons au contact de l'eau. Des fissures commencèrent à apparaître, ici et là, sur la noire silhouette de mademoiselle Zelle. Le cri était toujours présent. Il se faisait même plus perçant. Les yeux presque aussi longs que le nez, Specteur observait le spectacle en silence. Il remarqua que la silhouette de sa bien-aimée prenait, de plus en plus, l'allure d'un pare-brise éclaté. « Merde…, songea-t-il. La voilà qui se transforme en casse-tête. »

Les craquements s'accentuèrent encore davantage, en même temps que le cri, qui gagnait, lui aussi, en volume. Ce crescendo cacophonique était aussi agréable qu'un jet de vinaigre sur une plaie vive. Gargouille et Specteur avaient droit à un nombre de décibels qui allait probablement leur coûter cinq ou six tympans.

Les mains sur les oreilles, les deux hommes grimaçaient affreusement, comme si le fait de se déformer le visage atténuait la douleur, quand soudain le bruit cessa. Plus rien. Ni craquements ni cri. Spec regarda Gargouille avec un air de chien perdu.

— C'est fini ? demanda-t-il. On a merdé ?

Gargouille n'eut pas le temps de répondre, car on entendit un vent inquiétant se lever. Un vent qui sifflait bruyamment et qui fluctuait sans cesse. Par moments, on aurait même dit qu'il inspirait. Pourtant, Spec et Gargouille ne sentaient absolument rien. Pas la moindre brise. Tout à coup, alors que l'espoir allait tomber en panne, la silhouette implosa. Elle se désintégra en un bruit caverneux. Toutes ses particules convergèrent vers le nombril d'une resplendissante mademoiselle Zelle adulte qui se cachait derrière ce mur de temps. Un long frisson la traversa. Elle ouvrit grande la bouche et, comme si elle venait de passer deux siècles sous l'eau, prit une grandissime inspiration.

— Zelle ! hurla Specteur. Zelle ! C'est moi !

La belle glissa ses membres hors des sangles et courut se nouer, bras et jambes, autour de son amant. À la grande surprise de Specteur, elle était déjà toute mouillée. Zelle n'en pouvait plus d'attendre. Son imagination avait si bien travaillé que son désir était à son paroxysme. Elle se laissa glisser sur le ventre de son homme et le reçut en elle.

Bien qu'il ne se sentît pas particulièrement voyeur, Gargouille fut en mesure d'apprécier toutes les subtilités de la copulation à la verticale. Il trouva le spectacle truculent. Ça ruait dans les brancards. Le jeu de l'amour méritait sa place aux prochaines olympiades.

Spec et Zelle n'avaient pas assez de mains et de bouches pour rattraper le temps perdu. Il riait, elle pleurait. Il pleurait, elle hurlait de rire. Ils étaient ivres. Ivres et fous de leur chair.

Le sexe de mademoiselle Zelle était brûlant. Si bien qu'elle ne tarda pas à sentir l'orgasme naître en elle. Il explosa dans son bas-ventre et remonta faire chuinter son souffle. Toujours agrippée à Specteur, elle renvoya sa tête en arrière en fermant les yeux. Quand elle les rouvrit, elle aperçut la bouille de Gargouille, orné du cercle de métal qui lui sciait le crâne en deux. Son cri orgasmique se mua en un hurlement de frayeur.

— C'est un ami! cria Specteur pour la rassurer. Ne crains rien! Ne crains rien!

— Je sais! répondit-elle entre deux gémissements. Je le voyais pendant qu'il peignait! Mais pas de si près!!!

Gargouille remit sa cagoule et s'éloigna un peu.

Totalement rassasiés, les amants se vêtirent et l'inspecteur Specteur dut, malgré lui, bousculer quelque peu mademoiselle Zelle. Bien sûr, elle venait à peine de ressusciter, mais il fallait qu'elle soit mise au courant de la situation au plus vite. Il y avait urgence. Spec avait rendez-vous avec Dilleux Lepaire à treize heures précises à la terrasse Crâne du Grand Nain.

— T'as rendez-vous avec ce salaud! s'indigna Zelle.

Spec glissa une main dans la chevelure de sa bien-aimée. Après lui avoir résumé les pouvoirs de Gargouille, il sourit et déclara :

— Il est des êtres si beaux, si grands, qu'ils méritent d'être mortalisés sur une toile…

Mademoiselle Zelle avait tout pigé. Elle proposa d'accompagner les deux hommes. Spec refusa. Il avait une autre mission pour elle. Du fond de sa poche, il fit jaillir une clé. Il avait précieusement gardé la Renault 5 blanche[1] de Zelle en attendant le jour des retrouvailles.

— Y a un flingue sous la banquette… Va! Et ramène-moi vite ce putain de Ré à la maison! On ne sait jamais ce dont un ancien prêtre est capable.

---

1. Voir *L'Inspecteur Specteur et la planète Nète* et voir un médecin si le malaise persiste.

TRENTE-DEUX

La terrasse Crâne du Grand Nain était presque vide. Heureusement, car Specteur prévoyait un joyeux bordel qui aurait risqué d'en faire frémir plus d'un.

Attablés dans un coin depuis une bonne demi-heure, l'inspecteur Specteur et Dilleux Lepaire argumentaient en gardant leur distance.

— Vous voulez me faire croire, cher inspecteur Specteur, que vous avez réussi à libérer cette pétillante mademoiselle Zelle de la prison dans laquelle je l'avais enfermée[1] ?

— Tout à fait.

Un ricanement de mépris secoua les épaules de Dilleux.

— Je ne voudrais pas vous paraître rabat-joie, mais c'est impossible.

— T'as le loisir de me croire ou non, tête de morpion. Tout comme tu peux me croire ou non quand je te dis que ta putain d'existence achève ! Et que tu regretteras longtemps de ne pas m'avoir supplié à genoux de t'épargner, sale putois !

Dilleux Lepaire hocha la tête.

— Ah là là !… Ce tutoiement, ces propos vulgaires… Vous n'avez pas changé, inspecteur.

---

1. Mettre le livre en marche arrière et voir la note de bas de page précédente.

— Toi non plus, trou du cul.

— Vous devriez pourtant faire preuve d'une politesse excessive à mon endroit.

— Et pourquoi donc ?

L'œil fier, Dilleux Lepaire proclama :

— J'ai programmé la fin du monde, tel qu'on le connaît, pour ce soir même. Mais qui sait ? Je peux peut-être vous épargner...

Il en fallait plus pour effrayer l'inspecteur Specteur.

— Ha ! ha ! gloussa-t-il. Je ne crois pas plus à tes promesses qu'à ta capacité de régler le sort du monde.

— Je vais vous apprendre quelque chose, inspecteur. Je suis responsable du sacrifice du prêtre retrouvé mort dans une église. Et de ce pauvre Edilos Érutrot, abandonné dans une poubelle de l'hôpital Cœur du Grand Nain.

Une pointe de rage traversa Specteur.

— C'est donc toi... Qu'est-ce que tu magouilles, fils de pute ?

Ignorant la question, Dilleux poursuivit :

— Grâce à leur sacrifice...

— Tu confonds sacrifice et meurtre, abruti.

— Non. Vous avez tout faux, inspecteur. Grâce à leur sacrifice involontaire, ces deux martyrs auront sauvé le monde. Tout comme votre copain, le curé Ré.

Une grimace d'ironie déforma le visage de l'inspecteur.

— Là, tu te goures, mon vieux ! Premièrement, Ré n'est plus curé et, deuxièmement, à en juger par son comportement ces derniers temps, il est devenu plus pervers que moi ! Alors, pour ce qui est de sauver le monde, tu ferais bien de l'oublier ! Il est tout juste bon à sauver l'image de la virilité !

— Quelle belle naïveté !...

Dilleux releva le menton et prit un air condescendant.

— Dites-moi, inspecteur, quand vous êtes allé visiter votre ami Ré à l'hôpital, vous avez vraiment cru qu'on l'avait opéré pour une crise d'appendicite ?

Spec fut soudainement envahi par un cruel sentiment d'anxiété.

— Qu'est-ce que tu lui as fait, espèce de trouduc ? ! ! !

Le ton colérique de Specteur donnait encore plus d'assurance à Dilleux.

— Eh bien, dit-il, j'ai commencé par lui poser quelques questions… Mais rassurez-vous, le sérum de vérité ne nous a rien appris de neuf à votre sujet. Nous sommes donc passés aux choses sérieuses…

— Qu'est-ce que tu lui as fait ? ! ! ! répéta Specteur, le visage mauve de colère.

Une main sur son cœur, Dilleux confia :

— Oh ! presque rien… Un ami à moi, un génie, a simplement ajouté quelques veines dans le corps de votre ami, ainsi qu'une toute petite bactérie évolutive…

Specteur vacilla. C'était sans doute la fameuse bactérie dont Leplacs avait parlé !

— Nous avions besoin, poursuivit Dilleux, de deux prêtres du même groupe sanguin pour que les tissus se marient et que le miracle s'accomplisse. L'un d'eux devait être faible devant la tentation. J'ai donc choisi qui vous savez. Et, grâce aux tests effectués sur Edilos Érutrot, qui avait reçu, lui aussi, la bactérie évolutive, nous savons que Ré a maintenant tout ce qu'il faut pour réussir.

— Réussir quoi ?

Dilleux Lepaire rayonna soudain d'un bonheur intense.

— En vérité, je vous le dis, votre ami Ré est l'heureux élu. Celui qui refera le monde en six jours, précisément. Il aura donné sa vie pour que, le septième jour, naisse un nouveau monde…

— C'est que des conneries, tout ça ! explosa Specteur.

Loin de se démonter, Dilleux renchérit :

— Ré créera, pour moi, une nouvelle race d'humains. Des êtres sans rires, sans raison, mais également sans pleurs et sans souffrances. Des hommes et des femmes qui ne feront que ce pour quoi ils auront été génétiquement programmés : vivre sans pécher.

— Je ne te crois pas ! T'es qu'un sale menteur !

— Inspecteur Specteur, ne laissez pas la peur vous mener à la rage. Ce ne serait qu'une marque de faiblesse. De toute façon, vous savez que je suis le plus fort et que j'aurai le dernier mot, tout comme j'ai eu le premier. Alors, pourquoi ne pas vous rendre docilement pendant qu'il en est encore temps ?

La réponse ne tarda pas à venir.

— Tout simplement parce que c'est toi qui es à ma merci, connard. Et que c'est toi qui disparaîtras bientôt. *Perinde ac cadaver !*

Sur ce, l'inspecteur Specteur sortit son .666 et fit feu sur une vitrine derrière lui. Il s'agissait d'un miroir sans tain. Gargouille, coiffé de son capuchon, s'était caché derrière et avait pu peindre le buste de Dilleux Lepaire en toute tranquillité. Spec et lui avaient convenu du temps nécessaire pour achever la peinture. Il ne restait plus qu'à espérer qu'ils ne s'étaient pas trompés.

Gargouille tourna son chevalet afin que Specteur et Dilleux puissent voir le résultat de son travail. Le portrait était impeccable. Le peintre n'avait plus qu'à signer sa toile et Dilleux Lepaire appartiendrait au passé ou, mieux encore, au néant.

— De quoi s'agit-il, inspecteur ? Vous me faites des cadeaux-surprises, maintenant ?

— C'est ça, oui ! fit Specteur en ricana. Ce sera en souvenir de notre grande amitié !

Dilleux ne savait trop quoi penser. Il ne pouvait soupçonner qu'on s'apprêtait à l'éliminer. Après tout, une toile demeurait une toile. Qu'on lui offre son portrait, comme ça, sans raison, c'était, certes, un peu louche. Mais cela ne risquait tout de même pas de lui faire de mal. De plus, ce qui était loin de faire mal, c'était le fait que la représentation de son visage semblait encore plus fidèle que ce qu'aurait pu lui renvoyer n'importe quelle glace. Dilleux ne s'en trouvait que gonflé d'encore plus d'orgueil.

— Seriez-vous en train de devenir bon, mon cher Specteur ? demanda-t-il.

— Oh que oui ! rétorqua Spec. Très bon, même ! Et pas seulement pour toi, mais pour l'humanité tout entière !

Dilleux regardait Gargouille en plissant les yeux. Il essayait de voir le génie qui se cachait sous cette cagoule. Specteur s'en rendit compte et activa les choses.

— Mon peintre va maintenant procéder à la signature de son œuvre ! lança-t-il. Car sans sa griffe, cette toile n'a aucune valeur.

— Ne puis-je pas voir son visage afin d'admirer les yeux qui savent si bien reproduire la beauté ?

— Malheureusement, non. C'est le prix à payer pour garantir la perfection.

D'un geste solennel, Specteur leva les mains au ciel et s'exclama :

— Maître ! veuillez maintenant procéder à la signature de votre œuvre, je vous prie !

Gargouille s'exécuta. Un gracieux petit mouvement ondulant et c'était fait. Quand son pinceau quitta la toile, la tête de Dilleux disparut comme une image dans une télé qu'on éteint. Son corps étêté restait là, sur sa chaise, à remuer l'air de ses bras et à pousser sur ses pieds pour s'arracher au trou noir qui le retenait en place.

— Que se passe-t-il ? ! ! ! hurla Dilleux. Que m'arrive-t-il ? ! ! !

À leur grande stupéfaction, Spec et Gargouille constatèrent que la tête de Dilleux Lepaire était bel et bien emprisonnée dans la toile, mais qu'elle était animée !

— Comment est-ce possible ? demanda Specteur.

— Je n'en ai aucune idée…, répondit Gargouille, ébahi.

En réfléchissant bien, Spec finit par trouver la réponse. Il y avait une raison logique à ce phénomène. Dilleux étant lui-même éternel, on ne pouvait lui dérober son éternité. Résultat : il continuait d'exister à l'intérieur de ce cadre qui, toutefois, limitait considérablement son emprise sur l'univers.

— Qu'avez-vous fait, misérables ? tonna Dilleux.

— Ah ! ferme ta saloperie de gueule ! cria Spec qui essayait de trouver quoi faire de ce dessin animé.

— Sans moi, ce sera le chaos ! continua Dilleux.

— Ça l'est déjà, imbécile !

— Dans sept jours, quand Ré aura terminé son travail, il faudra contrôler les nouveaux humains, sinon ce sera la fin ! La deuxième fin du monde !

De quoi parlait donc ce truand ? Comment Ré pouvait-il créer de nouveaux humains ? Y avait-il lieu de s'inquiéter sérieusement à son sujet ? L'inspecteur Specteur ne comprenait rien à rien. Il fourra la toile sous son trench, pendant que Dilleux continuait de hurler, et fit signe à Gargouille de le suivre. Il fallait absolument retrouver Ré au cas où ce salaud de Dilleux aurait dit la vérité. Et puisque mademoiselle Zelle n'avait pas donné de nouvelles, il y avait de fortes chances qu'il lui fût arrivé malheur.

Spec et Gargouille prirent l'ascenseur. Comme d'habitude, un système automatique les fit stopper au vingtième étage[1]. Et comme d'habitude, les portes coulissèrent, dévoilant l'affiche géante d'une femme nue, entre les cuisses de laquelle on pouvait lire :

CHEZ MADAME LULU
CONFIEZ-NOUS VOTRE SEXE
NOUS LE METTRONS EN LIEU SÛR

---

1. Voir *L'Inspecteur Specteur et le doigt mort* et voir à ce que ça ne se reproduise plus.

— Putain de merde ! s'écria Specteur en frappant sur tous les boutons. C'est pas le moment !

Les portes se refermèrent et l'ascenseur arriva enfin au rez-de-chaussée. Dehors, la Renault 5 noire de l'inspecteur Specteur les attendait de pneus fermes. Dilleux se retrouva au fond du coffre et la bagnole décolla. Jamais la Renault n'avait roulé si vite. Son moteur miaulait, attirant le regard de toutes les chattes en chaleur de Capit. Specteur ne lui laissait aucun répit. Ses freinages et accélérations étaient dignes des meilleurs pilotes de course. De temps à autre, le cercle de métal dans le crâne de Gargouille allait heurter le pare-brise, provoquant des tintements qui agaçaient royalement Specteur.

— Z'avez pas de colonne ou quoi ? Raidissez-vous un peu, merde !

— Excusez-moi, dit Gargouille, docile.

D'une manière étouffée, mais tout de même audible, Specteur entendait les cris de Dilleux qui ne semblait pas vraiment apprécier la balade. D'une main ferme, il tourna le volant de gauche à droite à plusieurs reprises, histoire de donner à ce rebut une bonne raison de crier.

Ils arrivèrent bientôt devant un immeuble délabré.

— C'est là que se trouve Ré ! s'écria Specteur en appliquant les freins. Attendez-moi ici !

Il entra dans l'immeuble en se concentrant intensément sur la bague. Selon sa vision, Ré était au troisième étage. Spec s'époumona dans les escaliers et s'immobilisa finalement devant la porte numéro 301. Elle était entrouverte. Il la poussa avec précaution en appelant son ami.

— Ré ! Ré ! C'est moi ! Ton vieux Spec ! Où te caches-tu ?

Quand il entra dans la chambre à coucher, l'inspecteur Specteur comprit que quelque chose ne tournait pas rond. Il y avait du sang sur le sol ainsi que sur une partie du lit.

Comble de malheur, la bague reposait, seule, sur la table de chevet.

TRENTE-TROIS

Les yeux près de la noyade, Ré ouvrit la porte de son appartement sur une mademoiselle Zelle tout enjouée. Elle lui sauta au cou.

— Ré ! Comme je suis contente de te voir ! Et comme je suis heureuse de pouvoir te serrer dans mes bras sans risquer de cuire sur place !

Ému, Ré éclata de plus belle. Il se laissa choir par terre en une chorégraphie de poupée disloquée. Zelle ne l'avait jamais vu aussi défait. Elle l'aida à se relever et l'installa sur son lit.

— Qu'est-ce qui t'arrive, mon pauvre Ré ? Qu'est-ce que t'as ?

— Je sais plus où j'en suis…, gémit-il en lui tendant une lettre. Son frère me l'a remise ce matin… Je n'y comprends rien… Tout s'écroule…

Zelle prit connaissance de la lettre. Elle avait été écrite par l'évêque de Capit. Celui-ci confiait qu'il allait bientôt mourir par la main de Dilleux Lepaire lui-même. Que Dilleux l'avait utilisé puis jeté. L'évêque continuait en prévenant Ré : Dilleux disait avoir une mission pour lui. Où et comment ? Il l'ignorait. Mais il fallait absolument que Ré soit sur ses gardes. Afin de parer à toute éventualité, l'évêque l'informait aussi du plan ultime de son assassin, qui consistait à faire fuir le pape et une cinquantaine de prêtres à bord d'une navette spatiale. « Le temps que la planète Nète se lave de ses péchés », avait dit Dilleux Lepaire. Le décollage de la navette était prévu pour le 28 juillet, à vingt heures.

— Le 28 juillet ! s'écria Zelle. Mais… mais…

— Il n'y a pas de mais…, murmura Ré. C'est aujourd'hui…

Déconcertée, Zelle relut la lettre afin de s'assurer qu'elle n'avait pas rêvé.

— C'est quoi, cette histoire de laver les péchés de la planète Nète ? demanda-t-elle. Une bombe nucléaire ou quoi ?

— J'en sais rien. Tout ce que je sais, c'est que je suis foutu…

La porte d'entrée claqua brusquement. Zelle sursauta.

— T'as entendu ? fit-elle.

Le nez dans son oreiller, Ré n'entendait que son malheur.

— Hé ! ho ! insista Zelle, tu attends quelqu'un ?

Ré fit « non » de la tête. Deux immenses gaillards apparurent alors dans l'embrasure de la porte. Les ovaires de Zelle firent un tour sur eux-mêmes.

— Qu'est-ce que vous foutez dans cette chambre ? ! ! ! s'insurgea-t-elle.

On l'ignora comme on ignore la mort. Zelle regretta de ne pas avoir pris le flingue sous la banquette de sa bagnole.

L'un des deux monstres fit un pas.

— Monsieur Ré ? dit-il.

En guise de réponse, le type reçut un oreiller en pleine tronche.

— Foutez le camp ! pleurnicha Ré. V'voyez pas que je veux crever en paix ? ! Dites à Dilleux Lepaire d'aller se faire foutre !

— Venez, monsieur Ré.

Zelle n'entendait pas les laisser faire. D'un bond de gazelle, elle se retrouva nez à nez avec les intrus.

— Sortez immédiatement d'ici! ordonna-t-elle. Cet homme n'est pas en état de suivre qui que ce soit.

Le plus gros des colosses daigna lui adresser la parole.

— Toi, la pétasse, chia-t-il, ferme ta grande gueule et enlève-toi du chemin.

Avant qu'elle n'ait eu le temps de rétorquer, les brutes foncèrent sur Ré. Zelle tenta de s'interposer. Mal lui en prit. En réalité, très mal lui en prit, puisqu'elle reçut autant de baffes que ses agresseurs avaient de doigts. Elle sombra sur le sol, inconsciente, le visage tuméfié par les violents coups de poing, de pied et de genou qu'elle avait encaissés.

Les deux pitbulls s'emparèrent alors de Ré et le traînèrent littéralement jusqu'à une fourgonnette garée devant l'immeuble. Le misérable se débattait comme si ça en valait la peine. Quelques habiles taloches eurent tôt fait de le calmer et on put enfin monter dans le véhicule. L'un des hommes prit le volant, et l'autre s'installa derrière, avec Ré. Avant de décoller, on l'immobilisa fermement et, à l'aide d'une seringue, on lui injecta une petite dose de cocaïne. En moins qu'un rien de temps, Ré était pimpant comme une taure au printemps. On lui fit boire un kil de rouge pour le rasseoir un peu, suivi de deux bières bien fraîches. Il ne lui en fallait pas plus pour que ses kidnappeurs deviennent des types bien comme il ne s'en faisait plus. D'autant plus qu'ils n'avaient pas été engagés pour conduire Ré à Dilleux Lepaire, mais plutôt au chic cabaret du Libido.

Une fois sur place, on le fit entrer par-derrière. De toute manière, même s'il avait voulu franchir l'entrée principale, Ré n'aurait pas pu. Il y avait une file de plus de cinq cents femelles qui attendaient l'ouverture des portes du cabaret, armées de moins en moins de patience. L'engouement était à son paroxysme, puisqu'une affiche, montrant Ré au summum de son art, avait été apposée au-dessus de la porte. La vilaine dame en noir l'avait photographié à son insu.

C'est elle-même, d'ailleurs, qui l'accueillit à son arrivée et qui le guida jusqu'à sa loge. Ré y trouva suffisamment d'alcool et de poudre pour maquiller foies et narines de tout un régiment. Une fois qu'elle eut tâté la rigidité de la marchandise, la dame en noir jugea que le spectacle serait plus qu'à la hauteur. Elle ordonna donc qu'on ouvre les portes sans tarder. Une extraordinaire cohue envahit la place. Toutes ces femmes, qui girouettaient d'un bord et de l'autre à la recherche de la meilleure place, avaient l'air d'abeilles qu'on venait d'asperger d'insecticide. Heureusement, aucune bagarre n'éclata. Normal, puisque aucune de ces nobles dames n'avait envie de voir le spectacle annulé pour cause d'émeute ou de panique collective. Il fallut quand même une bonne heure avant que toutes soient installées et qu'on puisse songer à présenter le phénomène.

La dame en noir envoya alors chercher le cloune[1] de la soirée et on l'emmena en coulisse. Quand il arriva, vacillant, assommé par la merde qu'il venait de gober, Ré saisit à peine ce qui se passait. On lui injecta une nouvelle dose de coca, un peu plus puissante celle-là, et une énergie nouvelle lui traversa les entrailles.

Sur une table, à côté de lui, on déposa les divers instruments dont il allait devoir orner son membre. À la vue du seau et du rouleau d'essuie-tout, tout lui revint en mémoire. La soirée dans ce bordel, ses prouesses devant les filles et la dame en noir qui lui avait fait signer ce putain de contrat. Il comprit ce qu'il faisait là et comprit surtout qu'il n'aurait pas d'autre choix que de le faire. Voilà donc où le menaient toutes ses années de prêtrise. À danser en duo avec sa bite sur la scène d'un cabaret. Prestigieuse consécration d'une vie de moine. Au point où il en était, il ne se surprenait plus de rien et n'en avait plus rien à foutre.

---

1. Néologisme formé des mots « clou » et « clown ». L'un exprimant la rigidité, et l'autre, la folie. Restez assis, je vous en prie.

Une odeur de tabac mêlée à des effluves de marijuana planait dans le cabaret. Les cris de centaine de femelles surexcitées gonflaient l'atmosphère comme un nimbus prêt à éclater. Ré était très attendu et la foule le lui signifiait haut et fort. Il ne pouvait définitivement plus reculer. La dame en noir le prit par les épaules et le fixa sans mot dire. Doucement, comme s'il s'agissait d'un cadeau précieux, elle le déballa. De temps en temps, Ré sentait les longs ongles de la dame lui égratigner légèrement la peau. Il frémissait. Quand elle lui massa généreusement les trapèzes, le dos et les cuisses, Ré comprit que la dame en noir voulait le rassurer. Elle n'était donc pas foncièrement méchante. Ré la rassura à son tour en prenant ses mains dans les siennes. Il hocha la tête, et la dame en noir sut qu'il était prêt.

On arrêta la musique d'ambiance, et le rideau de scène s'ouvrit. Rien ne s'était encore passé et, pourtant, le nombre de décibels avait quintuplé. Un maître de cérémonie tout ce qu'il y avait de plus neutre — il ne fallait pas voler la vedette à la vedette — s'approcha d'un micro qui se trouvait en plein centre de la scène. Ré s'attendait à un monologue d'introduction interminable, mais l'homme se contenta de lancer :

— On vous l'avait promis, le voilà ! L'homme qui est toujours en érection : MONSIEUR RÉÉÉÉÉÉ !

Les cris se firent encore plus puissants. C'était pour lui ! C'était pour Ré qu'on criait ainsi !

— Allez ! Faites-les toutes fondre ! lui susurra la dame en noir en lui donnant une petite tape sur le derrière.

Ré sentit son ego envahir la salle. Il était prêt, dopé jusqu'à la moelle et confiant. Comme s'il avait répété le numéro des dizaines de fois, il entra en scène en se dandinant, tournant le dos au public. Des huées taquines percèrent, ici et là. Elles se firent de plus en plus insistantes, jusqu'à ce que Ré se décide enfin à faire face aux spectatrices. Du coup, une extraordinaire détonation vocale souleva le cabaret. Ré vit ses poils se dresser, durs comme les piquants d'un oursin. Priapisme capillaire. Son ego l'aveuglait totalement. Sans compter toutes ces lumières et tous ces yeux braqués sur lui. La star posa, fier comme un prince frais peint, faisant tournoyer une casserole sur sa bite et se prenant pour le centre de l'univers. Quand les clameurs diminuèrent, Ré courut changer d'accessoire de scène. Ses prouesses phalliques impliquèrent, entre autres, un chapeau, un sac à main, un seau, une cabane à moineaux, un fer à repasser et une guitare[1].

Son numéro achevait. Tous ses accessoires y étaient passés et la gaule de Ré n'avait pas rapetissé d'un micron. Comme le lui avait conseillé la dame en noir, il décida de terminer le spectacle avec le rouleau d'essuie-tout. Il l'enfila et se dirigea langoureusement vers l'avant-scène. Les cris d'hystérie et les sifflements montraient nettement que les femmes savaient où queue de béton voulait en venir. Sans les faire languir davantage, Ré avança son rouleau à portée de main des spectatrices. Elles n'hésitèrent pas une seconde. Tour à tour, dans une discipline quasi invraisemblable, elles déchirèrent un bout de papier qu'elles enfouirent, qui dans leur corsage, qui dans leur slip.

Ré eut, tout à coup, un vif mouvement de recul. Il se courba et commença à piétiner. Une douleur atroce venait de lui fouetter le scrotum. Les gonzesses hurlèrent de plus belle, croyant que ces simagrées faisaient partie du spectacle.

La douleur grandissait sans cesse. Ré sentit son membre enfler démesurément mais ne voulut pas, par peur de découvrir le pire, retirer le rouleau d'essuie-tout afin de vérifier l'ampleur des dégâts. Il n'eut pas besoin de retirer quoi que ce fût. Sous la pression de son sexe, le rouleau se déchira de lui-même. La foule resta un mo-

---

1. Sans cordes, naturellement.

214

ment bouche bée puis recommença à crier encore plus fort. Des coulisses, la dame en noir comprit que quelque chose n'allait pas. Elle se mit à faire de grands signes à Ré afin qu'il quitte la scène. Quand il finit par l'apercevoir, un violent spasme le secoua et son membre doubla de volume. Les spectatrices ne savaient plus comment réagir. Certaines hurlaient de plaisir, d'autres, de peur.

La dame en noir ordonna qu'on arrête la musique et qu'on appelle une ambulance. Ce qui fut fait promptement. Une fois les haut-parleurs éteints, on entendit clairement les cris de désespoir de Ré qui, impuissant[1], regardait son membre qui gonflait comme pain au four. Comme si ce n'était pas suffisant, Ré remarqua un phénomène encore plus terrifiant. Au fur et à mesure que grossissait son sexe, le reste de son corps, lui, rapetissait. La foule s'en rendit compte également et une mini-panique s'installa. Des femmes coururent dans tous les sens, à la recherche d'une sortie. D'autres, plus braves, gardèrent les yeux rivés sur l'engin du martyr. Elles ne furent pas déçues. La prouesse involontaire de Ré valait cent fois le prix d'entrée.

Son pénis gonfla, gonfla, gonfla, si bien que Ré finit par atteindre la taille d'un nain. Il n'osait toucher son membre de peur de le voir exploser littéralement. Ce putain de morceau de viande était devenu presque aussi gros et grand que lui. Ce qui lui foutait une trouille atroce.

Il fallait le voir, face à face avec son gland. C'était, ce qu'on aurait pu appeler, un véritable tête-à-queue. Ré aurait carrément pu s'enlacer la bite. Mais la métamorphose ne s'arrêta pas là. Le muscle continua à enfler, rapetissant toujours Ré et le plongeant dans un état d'hystérico-panico-névro-folie. Il avait beau s'affoler et remuer dans tous les sens, il ne pouvait plus rien faire : son sexe était maintenant plus lourd que le reste de sa personne.

---

1. Il s'agit du type d'impuissance dont raffolent les hommes.

Ré pleurait comme un bébé. Il en avait maintenant la taille, d'ailleurs. La dame en noir essayait de le réconforter en lui disant qu'on avait appelé une ambulance. C'était inutile. Ré demeurait inconsolable.

Il réclama un couteau. On le lui refusa. Personne n'avait envie d'assister à une mutilation en direct. Comme toujours, l'ambulance mettait une éternité à arriver et le sexe de Ré gagnait du terrain. Et plus il grandissait, plus sa croissance était rapide, et plus la voix de Ré diminuait en décibels.

À un certain moment, il fallait s'y attendre, les rôles furent inversés. Ré avait atteint la taille de son pénis, et son pénis, celle de Ré. On avait payé pour assister au spectacle d'un homme en constante érection, on avait droit à l'érection d'un être nouveau.

Les cris de mini-Ré étaient maintenant à peine audibles. Il était vraiment en voie d'extinction et se rapprochait de l'extinction de voix. On ne distinguait plus qu'un Ré de la taille d'un lombric qui gigotait comme si on était en train de l'enfiler sur un hameçon.

Il ne fallut, ensuite, que quelques secondes pour que ce petit bout de Ré disparaisse complètement, laissant toute la place à un poteau de chair veineux, orné d'un gland plus gros que la tête d'un hydrocéphale.

Un silence de sourd écrasa le cabaret du Libido. La centaine de femmes demeurées sur place admiraient religieusement le majestueux phallus, haut de deux mètres. Bien que légèrement chancelant, il se tenait là, dur et fier, et semblait attendre qu'on se prosterne à ses couilles.

D'un pas hésitant, la dame en noir s'en approcha et y posa la main. L'énorme verge se mit à tressaillir, comme si Ré était en train de se débattre à l'intérieur. Elle était secouée de multiples soubresauts qui lui donnaient des allures de hochet. Une secousse plus intense ébranla sa base. Le pénis oscilla alors dangereusement. Il tanguait de l'avant à l'arrière en un mouvement qui le rapprochait toujours plus de la chute. Il atteint finalement un point de non-retour et s'affaissa de tout son long sur la scène, son gros gland joufflu pointant vers la salle. On recula de quelques pas. Les yeux s'asséchèrent, tellement ils étaient écarquillés pour ne rien manquer de cet agrandissement naturel. On était béat devant ce méat géant.

Alors qu'on croyait que le membre était en train de mourir brûlé sous les projecteurs comme saucisson au soleil, une série de grosses veines se mirent à gonfler sur sa surface. Tout le monde recula à nouveau. On crut d'abord que l'organe était à l'agonie, jusqu'à ce qu'une goutte blanchâtre apparaisse au niveau du méat. Les spectatrices se regardèrent d'un air inquiet. Quand elles se rendirent compte qu'elles craignaient toutes la même chose, il était déjà trop tard. Une forte bosse se forma à la base du phallus et serpenta vers le sommet, faisant enfler le gland démesurément. Bien avant que quiconque n'eût le temps d'ouvrir quelque porte que ce fût, une éjaculation monstre inonda la salle. Une vingtaine de jets, à peine plus faibles de fois en fois, volèrent au centre de la foule. À partir de ce moment, ce fut une attaque sans merci. Des spermatozoïdes, d'un demi-mètre de longueur, se frayèrent un chemin sur le sol et attaquèrent les femmes, l'une après l'autre. Ils n'avaient qu'un but : pénétrer tout être humain doté d'une paire d'ovaires. Aucun tissu ne leur résistait. Coton, denim, cuir, tout cédait sur leur passage.

Les spermatozoïdes étaient vifs et vigoureux. Sitôt la femelle flairée, le gamète grimpait le long de sa jambe et s'introduisait dans son utérus. Dès lors, il se métamorphosait en homme ou en femme adulte et quittait presque immédiatement le ventre de sa génitrice en une suite de déchirements, clapotements et craquements abominables. La porteuse ne survivait jamais. La période de gestation étant d'à peine cinq secondes, son corps n'avait naturellement pas eu le temps de générer de lait maternel. Le grand bébé lui sautait quand même à la poitrine et la tétait jusqu'à ce qu'elle soit entièrement vidée de son sang. Ensuite, s'il s'agissait d'un homme, il se transformait en pénis à son tour, giclait partout et ses spermatozoïdes partaient à la recherche de femelles non fécondées. Une fois libéré de sa semence, l'énorme sexe reprenait sa forme humaine. Quant aux nouvelles femmes, leur rôle était simple : elles devaient exterminer tous les anciens hommes.

Lorsque mademoiselle Zelle entra dans le cabaret du Libido, l'attaque était à son paroxysme. Presque toutes les filles étaient en train d'y passer et plusieurs gisaient déjà, ouvertes, sur le sol.

Un homme s'approcha d'elle, armé d'une carabine, et se mit à faire feu sur les têtards. C'était le maître de cérémonie.

— Fuyez ! lui cria-t-il. Ils n'attaquent que les femmes !

— Mais qu'est-ce qui se passe ? ! ! !

— C'est cet exhibitionniste, monsieur Ré ! Il s'est métamorphosé en pénis géant et a craché toute cette merde ! Je l'ai abattu, mais trop tard !

Zelle vit l'immense vit ensanglanté qui reposait toujours sur la scène.

— Ça n'a aucun sens…, murmura-t-elle.

Un spermatozoïde fonça sur elle. D'un solide coup de talon, Zelle lui écrasa la tête. En tant que disciple du Démon, elle n'avait rien à craindre. Mais elle décida tout de même de suivre le conseil du maître de cérémonie et s'enfuit à toutes jambes.

Mademoiselle Zelle resta un moment dans sa bagnole et observa la scène à distance. Les spermatozoïdes se multipliaient à un rythme impressionnant. Ils n'avaient peur de rien et fonçaient sur toutes les femmes. Grosses, petites, jeunes, vieilles, canons, jambons. Bientôt, toute la rue fut pratiquement envahie. Ces sales bestioles étaient vraiment très coriaces. Certaines arrivaient même à briser les vitres des autos dans lesquelles de faibles dames s'étaient mises à l'abri.

Après quelques minutes de cet horrible spectacle, Zelle jugea qu'elle en avait assez vu. Et elle ne souhaitait pas nécessairement se faire enculer par un spermato-zoïde géant. Elle démarra en trombe et partit à la recherche de l'inspecteur Specteur.

En cours de route, un plan germa dans sa tête.

TRENTE-QUATRE

L'inspecteur Specteur et Gargouille roulaient au hasard des rues.

— Putain de connerie humaine de merde! s'exclama Spec qui en avait assez de tourner en rond. Comment il veut que je le retrouve ce con, maintenant, hein? Pas foutu de porter une putain de bague!

— Il lui est peut-être arrivé un malheur, risqua Gargouille.

— Je l'espère bien! Sinon je vais tout faire pour qu'il lui en arrive un!

Au tournant d'une rue, Spec n'eut pas le temps de réagir et roula sur un troupeau de gros têtards qui rampaient sur le bitume.

— Nom d'une pipe!!! Qu'est-ce que c'était?!!!

Les deux hommes descendirent de la Renault et regardèrent ramper les spermatozoïdes survivants. Sous leurs yeux horrifiés, l'un d'entre eux attaqua une fillette. Elle se débattit du mieux qu'elle put en appelant sa mère qui avait dû y passer quelques minutes plus tôt. Au moment de la métamorphose, la pauvre petite était si frêle qu'elle éclata littéralement. Specteur dégaina son .666 et fit sauter le crâne du nouveau-né.

Dans le coffre de la bagnole, Dilleux-tableau criait plus que jamais. Spec l'en sortit et lui montra le flot de spermatozoïdes qui déferlait sur la ville.

— C'est toi qui as créé ça, fumier ?!!!

— Non ! s'exclama Dilleux, fou de joie. C'est Ré !

— Qu'est-ce que tu racontes ?!

Dilleux arrivait difficilement à parler. L'émotion l'étranglait.

— Ça a marché…, murmura-t-il. Tout a fonctionné à merveille…

Sans qu'on sût pourquoi, il se mit alors à hurler comme si on était en train de lui marquer les couilles au fer rouge.

— Regardez ça, inspecteur ! s'écria Gargouille. Regardez la toile !!!

Dilleux Lepaire pleurait. Son portrait suintait des larmes qui, en glissant sur la toile, diluaient la peinture et écorchaient son visage. Du passage de l'eau salée sur ses joues, jaillissait le rouge de son sang.

— Aaaaaah !!! Faites quelque chose ! Épongez-moi ! Ça brûle !!!

L'inspecteur Specteur empoigna la toile d'une seule main et la projeta, tel un disque, le plus loin qu'il put. C'est qu'il venait d'apercevoir la Renault blanche de Zelle qui démarrait en trombe.

— Montez vite ! lança-t-il à Gargouille.

En passant devant le Libido, Specteur crut bien ne pas pouvoir franchir la montagne de spermatozoïdes qui grouillaient sur la chaussée. Mais il avait pris suffisamment d'élan et la fidèle Renault transforma plus de la moitié de ces gluantes couleuvres en purée. Deux kilomètres plus loin, il avait rejoint mademoiselle Zelle. Elle aperçut la voiture de Specteur dans son rétroviseur et stoppa en vitesse.

Une ambulance frôla les deux Renault en gueulant. Elle roulait en direction du Libido. «Quelle perte de temps !» songea Zelle en descendant de sa bagnole. Specteur alla à sa rencontre.

— Alors ? Que s'est-il passé ? demanda-t-il.

— D'où sortent toutes ces bestioles ? renchérit Gargouille.

Leur regard anxieux en disait long sur leur degré de curiosité. Zelle s'empressa donc de résumer son aventure. En apprenant ce qui était arrivé à Ré, Specteur sentit ses jambes ramollir. C'était trop cruel. Il venait de perdre un grand ami.

— Il faut prévenir Satan, suggéra-t-il.

— Non!!! rétorquèrent, en chœur, Zelle et Gargouille pour différentes raisons.

— Pourquoi donc?

On ne dit mot. Gargouille leva les yeux pendant que Zelle rassemblait ses idées.

— Je comprends que Gargouille n'ait pas envie de revoir le patron. Mais toi?

Le visage de Zelle devint radieux.

— Depuis le temps que tu y rêves, Spec, ce serait fou de passer à côté.

— De quoi?

— C'est un sacrifice à faire, mais on sait bien que c'est la seule issue.

— Quoi? Quoi?

Zelle avait piqué la curiosité des deux hommes. Sans attendre davantage, elle résuma la lettre de l'évêque. Ce qui jeta Specteur par terre et scia Gargouille dans l'autre sens. Ensuite, elle exposa son plan. Compte tenu de ce qui se passait, de ces vers géants qui gagnaient du terrain, ce n'était pas le genre de plan qui permettait des heures de réflexion. On devait tout de suite choisir entre « d'accord » ou « merde ».

« D'accord » triompha.

Il ne fallait pas traîner. D'autant plus qu'on apercevait les têtards qui commençaient à envahir le quartier au grand complet. Au rythme où ils allaient, ils seraient sur eux dans moins d'une minute.

La Renault 5 blanche n'était plus utile. On l'abandonna sur place et l'on s'éloigna du peloton de spermatos à bord de la Renault noire.

La station spatiale de la Friande était à une heure de Capit. Le voyage se fit dans le silence le plus total. Chacun étant tapi au fond de lui-même, le regard absent, plongé dans sa rétrospective personnelle. On acceptait peu à peu son sort, à contrecœur, comme une ultime fatalité, en se promettant, cependant, de maudire Dilleux Lepaire jusqu'à la dernière seconde. On était tout de même décidé à se sacrifier pour éviter le pire à l'humanité. Seule la bagnole émettait des réticences à force de se faire écraser le champignon. Elle avait raison de se plaindre. C'était peut-être là son dernier voyage.

L'inspecteur Specteur remarqua soudain une enveloppe qu'on avait glissée sur le pare-soleil. Il la prit et la tendit à mademoiselle Zelle. Elle était adressée À mon Inspecteur favori.

— C'est de qui? demanda Zelle, un brin de jalousie dans la voix.

— Sûrement de Crétaire, la secrétaire du commissariat. Ouvre l'enveloppe, s'il te plaît.

À l'intérieur, Zelle trouva une cassette. En apercevant l'objet, Specteur éclata d'un grand rire. Ce qui allégea considérablement l'atmosphère.

— Non! s'exclama-t-il. C'est pas possible! Elle a pas eu le temps! C'est pas possible!

— Quoi? fit Zelle. Qu'est-ce que c'est?

Sans prendre la peine de répondre à la question, Spec fourra la cassette dans le lecteur. Au bout de quelques secondes, une grosse caisse résonna comme le tonnerre. Les trois comparses sursautèrent. L'impact s'estompa lentement et un violon entama la mélodie. En arrière-plan, de lointains coups de feu saccadés marquaient le rythme. L'intro était d'un morbide envoûtant.

Après quelques cris qu'on eût dit directement tirés d'un abattoir, Crétaire commença à chanter. Ce fut magnifiquement diabolique. Certains sons dans sa voix crissaient comme un sax enroué. Ses notes passaient autant par l'inspiration que par l'expiration. Du jamais entendu. On écouta religieusement la chanson satanique jusqu'à la toute fin sans émettre le moindre son. Dans le respect le plus total de l'œuvre. Si la Renault avait pu, elle se serait tue, elle aussi.

Pour la première fois depuis la mort de son père, l'inspecteur Specteur versa une larme.

Les kilomètres suivants se firent dans le plus grand recueillement. Jusqu'à ce que Spec aperçût, à l'horizon, la tête d'une immense navette spatiale qui pointait vers le ciel.

— Visez-moi ce monstre ! s'écria-t-il. C'est là-dedans que ces salauds veulent s'enfuir ! Putain ! ils seront pas à l'étroit !

— Ils ne s'enfuiront pas…, murmura Zelle. Compte sur nous.

À mesure que les trois acolytes s'approchaient, la navette prenait des allures de montagne. Elle semblait aussi grosse et grande que le Grand Nain.

Alors qu'il aurait fallu accélérer, afin de se donner toutes les chances d'intercepter le décollage de la navette, Specteur freina brusquement.

— Qu'est-ce tu fous ? demanda Zelle.

— Attendez-moi une minute.

Il fonça en direction d'une balançoire de fortune qu'il avait remarquée en bordure de la route. Il s'agissait d'une vulgaire planche attachée à la branche d'un arbre. À l'aide de son .666, il sectionna les deux cordes qui la retenaient et les ramena à la voiture. Il les attacha l'une à l'autre et fit un nœud coulissant à une extrémité de façon à former une espèce de lasso. Il fixa le tout à sa ceinture.

— C'est pour quoi faire ?

— Tu verras… Tu ne seras pas déçue.

On reprit la route, le feu au ventre. Quand on arriva à la barrière de sécurité, la Renault put enfin souffler un peu. Curieusement, il n'y avait qu'une dizaine de policiers à l'entrée. Ce projet d'escapade n'avait visiblement pas été ébruité et, par conséquent, Dilleux n'avait pas cru bon de renforcer la sécurité. Peut-être même n'y avait-il pas songé. Spec montra son badge au premier imbécile qui s'avança.

— Inspecteur Specteur ? lança le flic, incrédule. Le véritable inspecteur Specteur ?

— Oui, c'est bien moi. *Spectorus tam clarus est ut omnes nomen ejus sciant !*

— Eh ben, ça alors ! J'ai tellement entendu parler de vous !

— C'est loin d'être terminé, mon pote…

— Ah !… je !… Eh ben, tant mieux ! Vous pouvez passer, inspecteur !

— Merci !

Alors que la Renault avait à peine fait deux tours de pneus, le même flic cria :

— Un instant !!!

La main sur son .666, Spec était prêt à poivrer quiconque se mettrait dans ses pattes.

— Qu'est-ce qu'il y a ?!!! tonna-t-il.

— Je… je peux vous serrer la main ?

Ainsi, on se retrouva rapidement tout près de la navette. Spec et Zelle descendirent, suggérant à Gargouille de rester dans la voiture. Avec la tête qu'il avait, il ne risquait pas de passer inaperçu. Même avec son capuchon.

Le couple scruta les environs. La rampe d'accès de la navette était abaissée. L'embarquement devait être imminent. Zelle remarqua une demi-douzaine de flics qui gardaient une entrée.

— Les prêtres doivent être là, dit-elle.

— Y a de fortes chances, ajouta Spec.

Ils s'avancèrent nonchalamment jusqu'à ce qu'un policier leur bloque le passage. Cette fois, le badge n'eut pas l'effet escompté. L'inspecteur Specteur et mademoiselle Zelle dégainèrent simultanément et trouèrent tout ce qui bougeait. Ils en furent quittes pour quelques trous eux-mêmes, mais les bienfaits du Mal eurent tôt fait de les colmater.

Derrière l'entrée si sauvagement gardée, la tribu de prêtres avait entendu les coups de feu et angoissait en se dévorant les jointures. Quand ils aperçurent Zelle et Specteur, ils s'enfermèrent dans une litanie aussi monotone qu'incompréhensible.

— Vos gueules! cria Specteur.

Ils continuèrent comme s'ils n'avaient rien entendu. Spec dut donc se résoudre à en perforer une demi-douzaine afin d'attirer l'attention. Ce qui fonctionna à merveille. Sauf pour quelques prêtres qui se jetèrent sur les cadavres, chialant et réclamant l'assistance de Dilleux Lepaire, de son Fils, de la Vierge Marie et de quelques flics sains d'esprit.

— J'ai dit « vos gueules » !!! hurla Specteur en abattant une autre robe noire.

Il eut enfin droit à un peu de discipline.

— Où est le pape? demanda-t-il.

— T'es con ou quoi? fit Zelle, étonnée. C'est celui qui a une robe blanche, là-bas, au fond! C'est évident!

— Je sais pas, moi! J'y connais rien à toutes ces conneries!

Spec n'y connaissait peut-être rien en hiérarchie ecclésiastique, mais il s'y connaissait en lasso. Zelle en eut la preuve quand il fit tournoyer sa corde et attrapa le pape par le cou.

— Voilà pourquoi tu as ramassé cette corde!

Spec acquiesça.

— Je n'avais pas vraiment envie de me brûler en tâtant la peau de ce clown.

Le pontife toussa un peu puis se tint coi. Spec tira sur la corde et le traîna vers l'extérieur. De l'autre côté de la porte, une vingtaine de policiers lui faisaient face. Sans perdre un instant, il colla son .666 sur la nuque du pape.

— Écoutez-moi bien, bande d'abrutis! Je vous conseille de foutre le camp si vous ne voulez pas que je le bute!

Son grand admirateur sembla très déçu.

— Inspecteur Specteur! supplia-t-il, vous ne pouvez pas faire ça! Vous êtes mon idole! Et vous avez une réputation!

— Et comment tu crois que je l'ai gagnée, cette réputation? rétorqua Spec. En cultivant des roses?

— Allons, inspecteur! poursuivit l'obséquieux policier. Si vous persistez à vouloir enlever Sa Sainteté, nous allons devoir vous abattre!

Spec eut un grand rire.

— Ha! ha! Vous ne pouvez pas m'abattre!

En guise de preuve, il se perfora lui-même le cœur. Des exclamations d'horreur fusèrent autant chez les prêtres que chez les flics. Spec mit une dizaine de minutes à s'en remettre, sous les yeux ahuris des nombreux témoins. La démonstration avait eu un impact certain. Des policiers gesticulaient en se signant tandis que d'autres criaient au miracle. Des prêtres brandirent leur croix, le visage tordu de frayeur.

— Vous ne pouvez rien contre nous! continua Specteur. Mais une seule balle dans sa tête à lui et je vous jure que ce sera la dernière chose à lui traverser l'esprit!

Un flic les mit en joue. Zelle le rasa aussitôt.

— Ne faites pas de conneries et vous aurez la vie sauve!

Les armes se retrouvèrent rapidement sur le sol et personne n'osa provoquer le couple à nouveau.

— Nous allons maintenant monter à bord de cette navette et elle va décoller comme prévu. Si on tente de nous en empêcher ou de nous créer des emmerdes quand nous serons là-haut, je vous jure que je bute votre putain de pape à la con! Et avec le sourire!

Spec se tourna vers Zelle.

— Va chercher Gargouille!

— D'accord!

Elle n'eut pas besoin de se déplacer. Gargouille était déjà là, tout près de la rampe d'accès, son nécessaire à peinture sous le bras.

— Je suis prêt…, dit-il.

En voyant cet homme-scie, les policiers et les prêtres comprirent qu'ils avaient affaire à des êtres hors du commun. On se contenta donc de jouer les spectateurs.

Gargouille monta dans la navette. Spec et Zelle lui emboîtèrent le pas, et le pape suivit, malgré lui, en râlant un *Ave Maria*. Avant d'entrer, Specteur jeta un coup d'œil en direction de Capit. Il faillit vomir. C'était l'apocalypse. La moitié du mont Ont grouillait déjà de milliers de spermatozoïdes. Et, malgré la distance, on pouvait voir leur progression fulgurante vers le sommet.

— Regardez ce que vous avez fait ! cracha Specteur en donnant un coup sur sa corde. Regardez le mont Ont !

Le pape regarda, mais n'y comprit rien.

— Qu'est-ce que c'est ? demanda-t-il.

— C'est l'œuvre de ton créateur !

Il ne comprenait toujours rien.

— Allez, il faut entrer ! lança Zelle en prenant la main de Specteur.

Une fois à l'intérieur, elle examina le panneau placé près de l'entrée et parvint facilement à fermer la porte. Un homme vint immédiatement à leur rencontre. C'était le commandant et le seul équipage à bord. Il posa deux questions stupides :

— Qui êtes-vous ? Qu'est-ce que vous faites ici ?

Il n'avait pas remarqué Gargouille. Quand il le vit, il posa une autre question stupide :

— Qu'est-ce que c'est que cette chose ? ! ! !

L'inspecteur Specteur prit la parole.

— Ce n'est pas une chose, c'est notre ami ! Et ce que je tiens au bout de ma corde, c'est le pape ! Alors, tu fais décoller ton gros Cessna le plus rapidement possible, où j'envoie le souverain pontife s'emmerder au paradis, et toi par la suite ! Est-ce assez bien résumé ?

Tout comme le pape les jours où il n'y avait pas messe, le commandant ne se fit pas prier. Il leva cependant un doigt, demandant poliment un droit de parole.

— Qu'est-ce qu'il y a ? fit Specteur.

— Nous ne pourrons pas décoller avant une demi-heure, le temps que les moteurs chauffent.

— Merde !!!

Le commandant s'excusa sincèrement. Spec lui chatouilla le menton d'un coup de .666.

— Reste pas là, imbécile ! Fais démarrer ta saloperie de bagnole !

La mâchoire en sang, le commandant s'activa et le vrombissement commença. Ce fut la plus longue demi-heure de toute leur vie. Pour la simple et bonne raison que le pape se mit à parler. Et comme si Specteur n'avait pas été sage, ce fut à lui qu'il s'adressa principalement.

— Mon enfant…

— Je suis pas ton enfant, grand-père ! Et c'est pas en baisant le sol que tu vas en avoir, crois-moi !

Le pape hésita. Il ne savait trop comment s'adresser à cette brute sanguinaire.

— Monsieur…, risqua-t-il.

— Inspecteur ! Je suis inspecteur de police !

L'autre était maintenant fixé.

— Inspecteur…, dit-il doucement, pourquoi faites-vous cela ?

La question était simple. La réponse le fut tout autant.

— Parce que j'en ai assez de cette foutue planète et de toute la merde qu'il y a dessus et que je veux en finir, une fois pour toutes ! Voilà pourquoi !

Jamais, au grand jamais, le pape n'avait rencontré un être aussi profondément désillusionné. Il tenta de se faire apaisant.

— Je peux comprendre, souffla-t-il.

— Ça m'étonnerait qu'une tête de gland comme la tienne comprenne quoi que ce soit ! *Eloquentiae satis, spientiae parum !*

Décidément, le pape avait déjà connu plus poli.

— Mais comment en êtes-vous arrivé, poursuivit-il, à prendre une décision aussi draconienne, mon enf... inspecteur?

Les veines du cou prêtes à exploser, Specteur vociféra:

— Espèce d'ignare! Roi des ânes! T'as vu ce qui se trame à Capit? Tu sais de quoi tu te sauves?

— À vrai dire...

— Il faut éliminer l'humain! C'est foutu! Je ne veux surtout pas voir ce que l'avenir nous réserve. Il n'y a rien à espérer.

— N'est-ce pas un peu... égoïste?

— Forcément! Je ne sais pas combien vous êtes dans ton corps mais, moi, je suis seul. Personnellement, donc, je crois que toutes les espèces non pensantes mériteraient peut-être — je dis bien « peut-être » — de vivre dans un environnement que nous, pensants, ne souillerions point. Mais puisque ce n'est pas possible d'éliminer seulement les pensants, eh bien, il faut que tout y passe!

— Et vos amis?

— Ils pensent comme moi!

Cette bête du Diable épuisait le pontife. Il aurait fallu mille ans pour le faire changer d'idée. Le pape risqua tout de même une dernière question:

— Malgré tout cela, ne trouvez-vous pas, inspecteur, rien qu'un peu, que la vie est belle? Ou *peut* être belle? Rien qu'un peu?

Le ton fut tranchant.

— Non! Rien ne mérite vraiment d'exister! En ce bas monde, tout n'est que bouffe et merde et bouffe et merde et bouffe et merde!

Specteur retrouva un peu de calme et déclara:

— Il ne reste que ceci...

Il prit mademoiselle Zelle dans ses bras et l'embrassa longuement tout en la caressant. Emportée par ce geste aussi affectueux que spontané, Zelle commença à perdre la tête. Elle arracha sauvagement les vêtements de Specteur et se dévêtit à son tour. Les amants se goûtèrent alors avec avidité. Ils avaient saveur de fruits mûrs. Zelle enfourcha son homme en pensant que c'était peut-être la dernière fois. Dès le départ, la cadence fut rapide, les mouvements, profonds, les coups, bestiaux. Le couple haletait, se griffait, se mordait. On aurait dit qu'ils essayaient de mêler leur chair et leur sang.

Le pape avait beau rassembler toute sa volonté, il n'arrivait pas à détourner son regard des amants. Il avait, devant lui, un résumé parfait de ce qu'il avait refoulé pendant toute sa vie : l'instinct sexuel.

À cheval sur Specteur, le cul bondissant de plaisir, Zelle tirait férocement sur son orgasme. Après quelques rotations habiles du bassin, elle sentit que la libération était inévitable. Elle leva alors la tête et harponna les yeux du voyeur. Le pape sursauta. Il ne croyait pas que Zelle se savait observée. Malgré cela, il continua à la fixer intensément. Quand l'influx de jouissance grimpa en Zelle, le pape vit ses yeux se révulser et se dit que l'inspecteur avait peut-être raison.

— Nous allons bientôt décoller, lança le commandant en faisant semblant d'être aveugle. Il faudrait gagner vos sièges et vous attacher.

ÉPILOGUE

Du haut des airs, la planète Nète cachait bien son inutilité. Ses éclats bleutés promettaient mer et monde. Mère immonde, hypocrite comme l'automne qui se fait multicolore pour mieux camoufler la mort. Foutue planète. L'homme l'avait rendue bleue, à force de se frapper dessus.

Gargouille signa sa toile. Pop! La planète Nète n'était plus. Il déposa une toile toute neuve sur son chevalet et soupira.

— Voilà. Je suis prêt.

Specteur s'en réjouit.

— Parfait! s'exclama-t-il. Alors, comme ça, ça va?

— Mais non, pas comme ça! protesta Zelle. Passe ton bras ici! Ça fera plus sensuel…

— Comment veux-tu que je passe mon bras là si t'as la jambe repliée comme ça?

— Écoutez, intervint Gargouille, je vous conseille de prendre une position très confortable. J'en ai quand même pour quelques heures.

L'inspecteur Specteur et mademoiselle Zelle se calèrent donc dans un canapé et se contentèrent de se tenir la main. Gargouille put alors commencer à peindre les amoureux.

— Vous savez, dit Spec, elle est vachement réussie, votre planète Nète!

— Merci.

— Mais… j'y pense ! Qu'est-ce que ça donnerait si vous peigniez une planète qui n'existe pas ? Une planète sans Bien, sans Mal ? Sans Satan, ni Dilleux Lepaire ? Une planète où les Fido et Fidouce pourraient voler sans risquer de recevoir une décharge de plombs dans la tête ? Où les Ré et Adèle seraient au service l'un de l'autre ? Qu'arriverait-il, Gargouille, dites-moi, qu'arriverait-il si vous peigniez une planète qui serait uniquement le fruit de notre imagination collective et que vous la signiez ? Se mettrait-elle à exister ?

Le peintre s'interrompit et gratta la moitié droite de son crâne.

— Sais pas…, répondit-il. Faudrait essayer…

MEMBRE DE SCABRINI MEDIA

Québec, Canada
2001